FRIEDRICH SCHILLER

# Die
# Jungfrau von Orleans

EINE ROMANTISCHE TRAGÖDIE

MIT EINEM NACHWORT

PHILIPP RECLAM JUN. STUTTGART

Der Text folgt: Friedrich Schiller. Sämtliche Werke. Säku-
lar-Ausgabe in sechzehn Bänden. Sechster Band. Herausge-
geben von Julius Petersen. Stuttgart/Berlin: Cotta, [1905]. –
Die Orthographie wurde behutsam dem heutigen Gebrauch
angeglichen.

Erläuterungen und Dokumente zu Schillers *Die Jungfrau
von Orleans* liegen unter Nr. 8164 in Reclams Universal-
Bibliothek vor.

Universal-Bibliothek Nr. 47
Alle Rechte vorbehalten. Gesamtherstellung: Reclam, Ditzingen
Umschlagabbildung: Titelkupfer der Erstausgabe von 1802
Printed in Germany 1992
RECLAM und UNIVERSAL-BIBLIOTHEK sind eingetragene
Warenzeichen der Philipp Reclam jun. GmbH & Co., Stuttgart
ISBN 3-15-000047-5

## PERSONEN

Karl der Siebente, *König von Frankreich*
Königin Isabeau, *seine Mutter*
Agnes Sorel, *seine Geliebte*
Philipp der Gute, *Herzog von Burgund*
Graf Dunois, *Bastard von Orleans*
La Hire } *königliche Offiziere*
Du Chatel
Erzbischof von Reims
Chatillon, *ein burgundischer Ritter*
Raoul, *ein lothringischer Ritter*
Talbot, *Feldherr der Engelländer*
Lionel } *englische Anführer*
Fastolf
Montgomery, *ein Walliser*
Ratsherren von Orleans
Ein englischer Herold
Thibaut d'Arc, *ein reicher Landmann*
Margot
Louison } *seine Töchter*
Johanna
Etienne
Claude Marie } *ihre Freier*
Raimond
Bertrand, *ein anderer Landmann*
Die Erscheinung eines schwarzen
Ritters
Köhler und Köhlerweib

*Soldaten und Volk, königliche Kronbediente, Bischöfe, Mönche, Marschälle, Magistratspersonen, Hofleute und andere stumme Personen im Gefolge des Krönungszuges.*

# PROLOG

*Eine ländliche Gegend.*

*Vorn zur Rechten ein Heiligenbild in einer Kapelle; zur Linken eine hohe Eiche.*

### ERSTER AUFTRITT

*Thibaut d'Arc. Seine drei Töchter. Drei junge Schäfer, ihre Freier.*

T h i b a u t. Ja, liebe Nachbarn! Heute sind wir noch
  Franzosen, freie Bürger noch und Herren
  Des alten Bodens, den die Väter pflügten;
  Wer weiß, wer morgen über uns befiehlt!
  Denn allerorten läßt der Engelländer
  Sein sieghaft Banner fliegen, seine Rosse
  Zerstampfen Frankreichs blühende Gefilde.
  Paris hat ihn als Sieger schon empfangen,
  Und mit der alten Krone Dagoberts
  Schmückt es den Sprößling eines fremden Stamms.      10
  Der Enkel unsrer Könige muß irren
  Enterbt und flüchtig durch sein eignes Reich,
  Und wider ihn im Heer der Feinde kämpft
  Sein nächster Vetter und sein erster Pair,
  Ja seine Rabenmutter führt es an.
  Rings brennen Dörfer, Städte. Näher stets
  Und näher wälzt sich der Verheerung Rauch
  An diese Täler, die noch friedlich ruhn.
  – Drum, liebe Nachbarn, hab ich mich mit Gott
  Entschlossen, weil ich's heute noch vermag,      20
  Die Töchter zu versorgen; denn das Weib
  Bedarf in Kriegsnöten des Beschützers,
  Und treue Lieb' hilft alle Lasten heben.
  *(Zu dem ersten Schäfer.)*
  – Kommt, Etienne! Ihr werbt um meine Margot.
  Die Äcker grenzen nachbarlich zusammen,

Die Herzen stimmen überein – das stiftet
Ein gutes Ehband!
*(Zu dem zweiten.)*   Claude Marie! Ihr schweigt,
Und meine Louison schlägt die Augen nieder?
Werd ich zwei Herzen trennen, die sich fanden,
Weil Ihr nicht Schätze mir zu bieten habt?                    30
Wer *hat* jetzt Schätze? Haus und Scheune sind
Des nächsten Feindes oder Feuers Raub –
Die treue Brust des braven Manns allein
Ist ein sturmfestes Dach in diesen Zeiten.
L o u i s o n.  Mein Vater!
C l a u d e   M a r i e.       Meine Louison!
L o u i s o n *(Johanna umarmend).*        Liebe Schwester!
T h i b a u t.  Ich gebe jeder dreißig Acker Landes
Und Stall und Hof und eine Herde – Gott
Hat mich gesegnet, und so segn' er euch!
M a r g o t *(Johanna umarmend).*
Erfreue unsern Vater. Nimm ein Beispiel!
Laß diesen Tag drei frohe Bande schließen.                   40
T h i b a u t.  Geht! Machet Anstalt. Morgen ist die Hochzeit;
Ich will, das ganze Dorf soll sie mit feiern.
*(Die zwei Paare gehen Arm in Arm geschlungen ab.)*


ZWEITER AUFTRITT

*Thibaut. Raimond. Johanna.*

T h i b a u t.  Jeanette, deine Schwestern machen Hochzeit,
Ich seh sie glücklich, sie erfreun mein Alter;
Du, meine Jüngste, machst mir Gram und Schmerz.
R a i m o n d.
Was fällt Euch ein! Was scheltet Ihr die Tochter?
T h i b a u t.  Hier dieser wackre Jüngling, dem sich keiner
Vergleicht im ganzen Dorf, der Treffliche,
Er hat dir seine Neigung zugewendet
Und wirbt um dich, schon ist's der dritte Herbst,           50
Mit stillem Wunsch, mit herzlichem Bemühn;
Du stößest ihn verschlossen, kalt zurück,
Noch sonst ein andrer von den Hirten allen
Mag dir ein gütig Lächeln abgewinnen.

– Ich sehe dich in Jugendfülle prangen,
Dein Lenz ist da, es ist die Zeit der Hoffnung,
Entfaltet ist die Blume deines Leibes;
Doch stets vergebens harr ich, daß die Blume
Der zarten Lieb' aus ihrer Knospe breche
Und freudig reife zu der goldnen Frucht!                    60
O das gefällt mir nimmermehr und deutet
Auf eine schwere Irrung der Natur!
Das Herz gefällt mir nicht, das streng und kalt
Sich zuschließt in den Jahren des Gefühls.

R a i m o n d.
Laßt's gut sein, Vater Arc! Laßt sie gewähren!
Die Liebe meiner trefflichen Johanna
Ist eine edle, zarte Himmelsfrucht,
Und still allmählich reift das Köstliche!
Jetzt liebt sie noch zu wohnen auf den Bergen,
Und von der freien Heide fürchtet sie                      70
Herabzusteigen in das niedre Dach
Der Menschen, wo die engen Sorgen wohnen.
Oft seh ich ihr aus tiefem Tal mit stillem
Erstaunen zu, wenn sie auf hoher Trift
In Mitte ihrer Herde ragend steht,
Mit edelm Leibe, und den ernsten Blick
Herabsenkt auf der Erde kleine Länder.
Da scheint sie mir was Höhres zu bedeuten,
Und dünkt mir's oft, sie stamm' aus andern Zeiten.

T h i b a u t.  Das ist es, was mir nicht gefallen will!     80
Sie flieht der Schwestern fröhliche Gemeinschaft,
Die öden Berge sucht sie auf, verlässet
Ihr nächtlich Lager vor dem Hahnenruf,
Und in der Schreckensstunde, wo der Mensch
Sich gern vertraulich an den Menschen schließt,
Schleicht sie, gleich dem einsiedlerischen Vogel,
Heraus ins graulich düstre Geisterreich
Der Nacht, tritt auf den Kreuzweg hin und pflegt
Geheime Zwiesprach' mit der Luft des Berges.
Warum erwählt sie immer *diesen* Ort                       90
Und treibt gerade hieher ihre Herde?
Ich sehe sie zu ganzen Stunden sinnend
Dort unter dem Druidenbaume sitzen,

Den alle glückliche Geschöpfe fliehn.
Denn nicht geheu'r ist's hier: ein böses Wesen
Hat seinen Wohnsitz unter diesem Baum
Schon seit der alten grauen Heidenzeit.
Die Ältesten im Dorf erzählen sich
Von diesem Baume schauerhafte Mären;
Seltsamer Stimmen wundersamen Klang                    100
Vernimmt man oft aus seinen düstern Zweigen.
Ich selbst, als mich in später Dämmrung einst
Der Weg an diesem Baum vorüberführte,
Hab ein gespenstisch Weib hier sitzen sehn,
Das streckte mir aus weitgefaltetem
Gewande langsam eine dürre Hand
Entgegen, gleich als winkt' es; doch ich eilte
Fürbaß, und Gott befahl ich meine Seele.

R a i m o n d *(auf das Heiligenbild in der Kapelle zeigend).*
Des Gnadenbildes segenreiche Näh',
Das hier des Himmels Frieden um sich streut,                110
Nicht Satans Werk führt Eure Tochter her.

T h i b a u t. O nein! nein! Nicht vergebens zeigt sich's mir
In Träumen an und ängstlichen Gesichten.
Zu dreien Malen hab ich sie gesehn
Zu Reims auf unsrer Könige Stuhle sitzen,
Ein funkelnd Diadem von sieben Sternen
Auf ihrem Haupt, das Zepter in der Hand,
Aus dem drei weiße Lilien entsprangen,
Und ich, ihr Vater, ihre beiden Schwestern
Und alle Fürsten, Grafen, Erzbischöfe,                      120
Der König selber neigten sich vor ihr.
Wie kommt mir solcher Glanz in meine Hütte?
O das bedeutet einen tiefen Fall!
Sinnbildlich stellt mir dieser Warnungstraum
Das eitle Trachten ihres Herzens dar.
Sie schämt sich ihrer Niedrigkeit – weil Gott
Mit reicher Schönheit ihren Leib geschmückt,
Mit hohen Wundergaben sie gesegnet
Vor allen Hirtenmädchen dieses Tals,
So nährt sie sünd'gen Hochmut in dem Herzen,              130
Und Hochmut ist's, wodurch die Engel fielen,
Woran der Höllengeist den Menschen faßt.

R a i m o n d.  Wer hegt bescheidnern, tugendlichern Sinn
  Als Eure fromme Tochter? Ist sie's nicht,
  Die ihren ältern Schwestern freudig dient?
  Sie ist die hochbegabteste von allen,
  Doch seht Ihr sie wie eine niedre Magd
  Die schwersten Pflichten still gehorsam üben,
  Und unter ihren Händen wunderbar
  Gedeihen Euch die Herden und die Saaten;     140
  Um alles, was sie schafft, ergießet sich
  Ein unbegreiflich überschwenglich Glück.
T h i b a u t.
  Ja wohl! Ein unbegreiflich Glück – Mir kommt
  Ein eigen Grauen an bei diesem Segen!
  – Nichts mehr davon. Ich schweige. Ich will schweigen;
  Soll ich mein eigen teures Kind anklagen?
  Ich kann nichts tun als warnen, für sie beten!
  Doch warnen muß ich – Fliehe diesen Baum,
  Bleib nicht allein und grabe keine Wurzeln
  Um Mitternacht, bereite keine Tränke     150
  Und schreibe keine Zeichen in den Sand –
  Leicht aufzuritzen ist das Reich der Geister,
  Sie liegen wartend unter dünner Decke,
  Und leise hörend stürmen sie herauf.
  Bleib nicht allein, denn in der Wüste trat
  Der Satansengel selbst zum Herrn des Himmels.

### DRITTER AUFTRITT

*Bertrand tritt auf, einen Helm in der Hand. Thibaut. Rai-*
*mond. Johanna.*

R a i m o n d.
  Still! Da kommt Bertrand aus der Stadt zurück.
  Sieh, was er trägt!
B e r t r a n d.     Ihr staunt mich an, ihr seid
  Verwundert ob des seltsamen Gerätes
  In meiner Hand.
T h i b a u t.     Das sind wir. Saget an,     160
  Wie kamt Ihr zu dem Helm, was bringt Ihr uns
  Das böse Zeichen in die Friedensgegend?

*(Johanna, welche in beiden vorigen Szenen still und ohne
Anteil auf der Seite gestanden, wird aufmerksam und tritt
näher.)*

Bertrand.　Kaum weiß ich selbst zu sagen, wie das Ding
　Mir in die Hand geriet. Ich hatte eisernes
　Gerät mir eingekauft zu Vaucouleurs,
　Ein großes Drängen fand ich auf dem Markt,
　Denn flücht'ges Volk war eben angelangt
　Von Orleans mit böser Kriegespost.
　Im Aufruhr lief die ganze Stadt zusammen,
　Und als ich Bahn mir mache durchs Gewühl,　　　　170
　Da tritt ein braun Bohemerweib mich an
　Mit diesem Helm, faßt mich ins Auge scharf
　Und spricht: »Gesell, Ihr suchet einen Helm,
　Ich weiß, Ihr suchet einen. Da! Nehmt hin!
　Um ein Geringes steht er Euch zu Kaufe.«
　»Geht zu den Lanzenknechten«, sagt' ich ihr,
　»Ich bin ein Landmann, brauche nicht des Helmes.«
　Sie aber ließ nicht ab und sagte ferner:
　»Kein Mensch vermag zu sagen, ob er nicht
　Des Helmes braucht. Ein stählern Dach fürs Haupt　180
　Ist jetzo mehr wert als ein steinern Haus.«
　So trieb sie mich durch alle Gassen, mir
　Den Helm aufnötigend, den ich nicht wollte.
　Ich sah den Helm, daß er so blank und schön
　Und würdig eines ritterlichen Haupts,
　Und da ich zweifelnd in der Hand ihn wog,
　Des Abenteuers Seltsamkeit bedenkend,
　Da war das Weib mir aus den Augen, schnell,
　Hinweggerissen hatte sie der Strom
　Des Volkes, und der Helm blieb mir in Händen.　　190
Johanna *(rasch und begierig darnach greifend)*.
　Gebt mir den Helm!
Bertrand.　　　　　Was frommt Euch dies Geräte?
　Das ist kein Schmuck für ein jungfräulich Haupt.
Johanna *(entreißt ihm den Helm)*.
　Mein ist der Helm, und mir gehört er zu.
Thibaut.
　Was fällt dem Mädchen ein?
Raimond.　　　　　　　　　Laßt ihr den Willen!

Wohl ziemt ihr dieser kriegerische Schmuck,
Denn ihre Brust verschließt ein männlich Herz.
Denkt nach, wie sie den Tigerwolf bezwang,
Das grimmig wilde Tier, das unsre Herden
Verwüstete, den Schrecken aller Hirten.
Sie ganz allein, die löwenherz'ge Jungfrau,          200
Stritt mit dem Wolf und rang das Lamm ihm ab,
Das er im blut'gen Rachen schon davontrug.
Welch tapfres Haupt auch dieser Helm bedeckt,
Er kann kein würdigeres zieren!

T h i b a u t *(zu Bertrand).*          Sprecht!
Welch neues Kriegesunglück ist geschehn?
Was brachten jene Flüchtigen?

B e r t r a n d.          Gott helfe
Dem König und erbarme sich des Landes!
Geschlagen sind wir in zwei großen Schlachten,
Mitten in Frankreich steht der Feind, verloren
Sind alle Länder bis an die Loire –                  210
Jetzt hat er seine ganze Macht zusammen-
Geführt, womit er Orleans belagert.

T h i b a u t. Gott schütze den König!

B e r t r a n d.          Unermeßliches
Geschütz ist aufgebracht von allen Enden,
Und wie der Bienen dunkelnde Geschwader
Den Korb umschwärmen in des Sommers Tagen,
Wie aus geschwärzter Luft die Heuschreckwolke
Herunterfällt und meilenlang die Felder
Bedeckt in unabsehbarem Gewimmel,
So goß sich eine Kriegeswolke aus                    220
Von Völkern über Orleans' Gefilde,
Und von der Sprachen unverständlichem
Gemisch verworren dumpf erbraust das Lager.
Denn auch der mächtige Burgund, der Länder-
Gewaltige, hat seine Mannen alle
Herbeigeführt, die Lütticher, Luxemburger,
Die Hennegauer, die vom Lande Namur,
Und die das glückliche Brabant bewohnen,
Die üpp'gen Genter, die in Samt und Seide
Stolzieren, die von Seeland, deren Städte             230
Sich reinlich aus dem Meereswasser heben,

Die herdenmelkenden Holländer, die
Von Utrecht, ja vom äußersten Westfriesland,
Die nach dem Eispol schaun – Sie folgen alle
Dem Heerbann des gewaltig herrschenden
Burgund und wollen Orleans bezwingen.
Thibaut. O des unselig jammervollen Zwists,
Der Frankreichs Waffen wider Frankreich wendet!
Bertrand. Auch sie, die alte Königin, sieht man,
Die stolze Isabeau, die Bayerfürstin,                    240
In Stahl gekleidet durch das Lager reiten,
Mit gift'gen Stachelworten alle Völker
Zur Wut aufregen wider ihren Sohn,
Den sie in ihrem Mutterschoß getragen!
Thibaut. Fluch treffe sie! Und möge Gott sie einst
Wie jene stolze Jesabel verderben!
Bertrand. Der fürchterliche Salisbury, der Mauern-
Zertrümmerer, führt die Belagrung an,
Mit ihm des Löwen Bruder Lionel
Und Talbot, der mit mörderischem Schwert          250
Die Völker niedermähet in den Schlachten.
In frechem Mute haben sie geschworen,
Der Schmach zu weihen alle Jungfrauen
Und, was das Schwert geführt, dem Schwert zu opfern.
Vier hohe Warten haben sie erbaut,
Die Stadt zu überragen; oben spät
Graf Salisbury mit mordbegier'gem Blick
Und zählt den schnellen Wandrer auf den Gassen.
Viel tausend Kugeln schon von Zentners Last
Sind in die Stadt geschleudert, Kirchen liegen          260
Zertrümmert, und der königliche Turm
Von Notre Dame beugt sein erhabnes Haupt.
Auch Pulvergänge haben sie gegraben,
Und über einem Höllenreiche steht
Die bange Stadt, gewärtig jede Stunde,
Daß es mit Donners Krachen sich entzünde.
*(Johanna horcht mit gespannter Aufmerksamkeit und setzt sich den Helm auf.)*
Thibaut. Wo aber waren denn die tapfern Degen
Saintrailles, La Hire und Frankreichs Brustwehr,
Der heldenmüt'ge Bastard, daß der Feind

So allgewaltig reißend vorwärts drang?                         270
  Wo ist der König selbst, und sieht er müßig
  Des Reiches Not und seiner Städte Fall?
B e r t r a n d.  Zu Chinon hält der König seinen Hof,
  Es fehlt an Volk, er kann das Feld nicht halten.
  Was nützt der Führer Mut, der Helden Arm,
  Wenn bleiche Furcht die Heere lähmt?
  Ein Schrecken, wie von Gott herabgesandt,
  Hat auch die Brust der Tapfersten ergriffen.
  Umsonst erschallt der Fürsten Aufgebot.
  Wie sich die Schafe bang zusammendrängen,                280
  Wenn sich des Wolfes Heulen hören läßt,
  So sucht der Franke, seines alten Ruhms
  Vergessend, nur die Sicherheit der Burgen.
  Ein einz'ger Ritter nur, hört' ich erzählen,
  Hab' eine schwache Mannschaft aufgebracht
  Und zieh' dem König zu mit sechzehn Fahnen.
J o h a n n a *(schnell).*
  Wie heißt der Ritter?
B e r t r a n d.         Baudricour. Doch schwerlich
  Möcht' er des Feindes Kundschaft hintergehn,
  Der mit zwei Heeren seinen Fersen folgt.
J o h a n n a.
  Wo hält der Ritter? Sagt mir's, wenn Ihr's wisset.       290
B e r t r a n d.  Er steht kaum eine Tagereise weit
  Von Vaucouleurs.
T h i b a u t *(zu Johanna).*
               Was kümmert's dich! Du fragst
  Nach Dingen, Mädchen, die dir nicht geziemen.
B e r t r a n d.
  Weil nun der Feind so mächtig und kein Schutz
  Vom König mehr zu hoffen, haben sie
  Zu Vaucouleurs einmütig den Beschluß
  Gefaßt, sich dem Burgund zu übergeben.
  So tragen wir nicht fremdes Joch und bleiben
  Beim alten Königsstamme – ja vielleicht
  Zur alten Krone fallen wir zurück,                         300
  Wenn einst Burgund und Frankreich sich versöhnen.
J o h a n n a *(in Begeisterung).*
  Nichts von Verträgen! Nichts von Übergabe!

Der Retter naht, er rüstet sich zum Kampf.
Vor Orleans soll das Glück des Feindes scheitern,
Sein Maß ist voll, er ist zur Ernte reif.
Mit ihrer Sichel wird die Jungfrau kommen
Und seines Stolzes Saaten niedermähn;
Herab vom Himmel reißt sie seinen Ruhm,
Den er hoch an den Sternen aufgehangen.
Verzagt nicht! Fliehet nicht! Denn eh' der Roggen      310
Gelb wird, eh' sich die Mondesscheibe füllt,
Wird kein engländisch Roß mehr aus den Wellen
Der prächtig strömenden Loire trinken.

B e r t r a n d.  Ach! Es geschehen keine Wunder mehr!

J o h a n n a.  Es geschehn noch Wunder – Eine weiße Taube
Wird fliegen und mit Adlerskühnheit diese Geier
Anfallen, die das Vaterland zerreißen.
Darniederkämpfen wird sie diesen stolzen
Burgund, den Reichsverräter, diesen Talbot,
Den himmelstürmend hunderthändigen,                    320
Und diesen Salisbury, den Tempelschänder,
Und diese frechen Inselwohner alle
Wie eine Herde Lämmer vor sich jagen.
Der Herr wird mit ihr sein, der Schlachten Gott.
Sein zitterndes Geschöpf wird er erwählen,
Durch eine zarte Jungfrau wird er sich
Verherrlichen, denn er ist der Allmächt'ge!

T h i b a u t.
Was für ein Geist ergreift die Dirn'?

R a i m o n d.                          Es ist
Der Helm, der sie so kriegerisch beseelt.
Seht Eure Tochter an. Ihr Auge blitzt,                 330
Und glühend Feuer sprühen ihre Wangen!

J o h a n n a.  Dies Reich soll fallen? Dieses Land des Ruhms,
Das schönste, das die ew'ge Sonne sieht
In ihrem Lauf, das Paradies der Länder,
Das Gott liebt wie den Apfel seines Auges,
Die Fesseln tragen eines fremden Volks!
– Hier scheiterte der Heiden Macht. Hier war
Das erste Kreuz, das Gnadenbild erhöht,
Hier ruht der Staub des heil'gen Ludewig,
Von hier aus ward Jerusalem erobert.                   340

Bertrand *(erstaunt).*
    Hört ihre Rede! Woher schöpfte sie
    Die hohe Offenbarung – Vater Arc!
    Euch gab Gott eine wundervolle Tochter!
Johanna. Wir sollen keine eigne Könige
    Mehr haben, keinen eingebornen Herrn –
    Der König, der nie stirbt, soll aus der Welt
    Verschwinden – der den heil'gen Pflug beschützt,
    Der die Trift beschützt und fruchtbar macht die Erde,
    Der die Leibeignen in die Freiheit führt,
    Der die Städte freudig stellt um seinen Thron,          350
    Der dem Schwachen beisteht und den Bösen schreckt,
    Der den Neid nicht kennet – denn er ist der Größte –
    Der ein Mensch ist und ein Engel der Erbarmung
    Auf der feindsel'gen Erde. – Denn der Thron
    Der Könige, der von Golde schimmert, ist
    Das Obdach der Verlassenen – hier steht
    Die Macht und die Barmherzigkeit – es zittert
    Der Schuldige, vertrauend naht sich der Gerechte
    Und scherzet mit den Löwen um den Thron!
    Der fremde König, der von außen kommt,                  360
    Dem keines Ahnherrn heilige Gebeine
    In diesem Lande ruhn, kann er es lieben?
    Der nicht jung war mit unsern Jünglingen,
    Dem unsre Worte nicht zum Herzen tönen,
    Kann er ein Vater sein zu seinen Söhnen?
Thibaut. Gott schütze Frankreich und den König! Wir
    Sind friedliche Landleute, wissen nicht
    Das Schwert zu führen, noch das kriegerische Roß
    Zu tummeln. – Laßt uns still gehorchend harren,
    Wen uns der Sieg zum König geben wird.                  370
    Das Glück der Schlachten ist das Urteil Gottes,
    Und unser *Herr* ist, wer die heil'ge Ölung
    Empfängt und sich die Kron' aufsetzt zu Reims.
    – Kommt an die Arbeit! Kommt! Und denke jeder
    Nur an das Nächste! Lassen wir die Großen,
    Der Erde Fürsten um die Erde losen;
    Wir können ruhig die Zerstörung schauen,
    Denn sturmfest steht der Boden, den wir bauen.
    Die Flamme brenne unsre Dörfer nieder,

Die Saat zerstampfe ihrer Rosse Tritt –
Der neue Lenz bringt neue Saaten mit,
Und schnell erstehn die leichten Hütten wieder!
       *(Alle außer der Jungfrau gehen ab.)*


### VIERTER AUFTRITT

*Johanna allein.*

Lebt wohl, ihr Berge, ihr geliebten Triften,
Ihr traulich stillen Täler, lebt wohl!
Johanna wird nun nicht mehr auf euch wandeln,
Johanna sagt euch ewig Lebewohl.
Ihr Wiesen, die ich wässerte, ihr Bäume,
Die ich gepflanzet, grünet fröhlich fort!
Lebt wohl, ihr Grotten und ihr kühlen Brunnen!
Du Echo, holde Stimme dieses Tals,                        390
Die oft mir Antwort gab auf meine Lieder –
Johanna geht, und nimmer kehrt sie wieder!

Ihr Plätze alle meiner stillen Freuden,
Euch laß ich hinter mir auf immerdar!
Zerstreuet euch, ihr Lämmer, auf der Heiden,
Ihr seid jetzt eine hirtenlose Schar,
Denn eine andre Herde muß ich weiden,
Dort auf dem blut'gen Felde der Gefahr:
So ist des Geistes Ruf an mich ergangen,
Mich treibt nicht eitles, irdisches Verlangen.            400

Denn der zu Mosen auf des Horebs Höhen
Im feur'gen Busch sich flammend niederließ
Und ihm befahl, vor Pharao zu stehen,
Der einst den frommen Knaben Isais,
Den Hirten, sich zum Streiter ausersehen,
Der stets den Hirten gnädig sich bewies,
Er sprach zu mir aus dieses Baumes Zweigen:
»Geh hin! Du sollst auf Erden für mich zeugen.

In rauhes Erz sollst du die Glieder schnüren,
Mit Stahl bedecken deine zarte Brust,                     410

Nicht Männerliebe darf dein Herz berühren
Mit sünd'gen Flammen eitler Erdenlust.
Nie wird der Brautkranz deine Locke zieren,
Dir blüht kein lieblich Kind an deiner Brust,
Doch werd ich dich mit kriegerischen Ehren,
Vor allen Erdenfrauen dich verklären.

Denn wenn im Kampf die Mutigsten verzagen,
Wenn Frankreichs letztes Schicksal nun sich naht,
Dann wirst du meine Oriflamme tragen
Und, wie die rasche Schnitterin die Saat,                420
Den stolzen Überwinder niederschlagen;
Umwälzen wirst du seines Glückes Rad,
Errettung bringen Frankreichs Heldensöhnen
Und Reims befrein und deinen König krönen!«

Ein Zeichen hat der Himmel mir verheißen –
Er sendet mir den Helm, er kommt von *ihm*,
Mit Götterkraft berühret mich sein Eisen,
Und mich durchflammt der Mut der Cherubim;
Ins Kriegsgewühl hinein will es mich reißen,
Es treibt mich fort mit Sturmes Ungestüm,               430
Den Feldruf hör ich mächtig zu mir dringen,
Das Schlachtroß steigt, und die Trompeten klingen.
(*Sie geht ab.*)

# ERSTER AUFZUG

*Hoflager König Karls zu Chinon.*

## ERSTER AUFTRITT

*Dunois und Du Chatel.*

**D u n o i s.**  Nein, ich ertrag es länger nicht. Ich sage
Mich los von diesem König, der unrühmlich
Sich selbst verläßt. Mir blutet in der Brust
Das tapfre Herz, und glühnde Tränen möcht' ich weinen,
Daß Räuber in das königliche Frankreich
Sich teilen mit dem Schwert, die edeln Städte,
Die mit der Monarchie gealtert sind,
Dem Feind die rost'gen Schlüssel überliefern,                    440
Indes wir hier in tatenloser Ruh'
Die köstlich edle Rettungszeit verschwenden.
– Ich höre Orleans bedroht, ich fliege
Herbei aus der entlegnen Normandie,
Den König denk ich kriegerisch gerüstet
An seines Heeres Spitze schon zu finden,
Und find ihn – hier! umringt von Gaukelspielern
Und Troubadours, spitzfind'ge Rätsel lösend
Und der Sorel galante Feste gebend,
Als waltete im Reich der tiefste Friede!                         450
– Der Connetable geht, er kann den Greu'l
Nicht länger ansehn. – Ich verlaß ihn auch
Und übergeb ihn seinem bösen Schicksal.
**D u   C h a t e l.**  Da kommt der König!

## ZWEITER AUFTRITT

*König Karl zu den Vorigen.*

**K a r l.**  Der Connetable schickt sein Schwert zurück
Und sagt den Dienst mir auf. – In Gottes Namen!

So sind wir eines mürr'schen Mannes los,
Der unverträglich uns nur meistern wollte.

D u n o i s.  *Ein* Mann ist viel wert in so teurer Zeit,
Ich möcht' ihn nicht mit leichtem Sinn verlieren. 460

K a r l.  Das sagst du nur aus Lust des Widerspruchs;
Solang er da war, warst du nie sein Freund.

D u n o i s.  Er war ein stolz verdrießlich schwerer Narr
Und wußte nie zu enden – diesmal aber
Weiß er's. Er weiß zu rechter Zeit zu gehn,
Wo keine Ehre mehr zu holen ist.

K a r l.  Du bist in deiner angenehmen Laune,
Ich will dich nicht drin stören. – Du Chatel!
Es sind Gesandte da vom alten König
René, belobte Meister im Gesang 470
Und weit berühmt. – Man muß sie wohl bewirten
Und jedem eine goldne Kette reichen.
*(Zum Bastard.)* Worüber lachst du?

D u n o i s.                              Daß du goldne Ketten
Aus deinem Munde schüttelst.

D u  C h a t e l.                  Sire! Es ist
Kein Geld in deinem Schatze mehr vorhanden.

K a r l.  So schaffe welches. – Edle Sänger dürfen
Nicht ungeehrt von meinem Hofe ziehn.
Sie machen uns den dürren Zepter blühn,
Sie flechten den unsterblich grünen Zweig
Des Lebens in die unfruchtbare Krone, 480
Sie stellen herrschend sich den Herrschern gleich,
Aus leichten Wünschen bauen sie sich Throne,
Und nicht im Raume liegt ihr harmlos Reich:
Drum soll der Sänger mit dem König gehn,
Sie beide wohnen auf der Menschheit Höhen!

D u  C h a t e l.  Mein königlicher Herr! Ich hab dein Ohr
Verschont, solang noch Rat und Hilfe war,
Doch endlich löst die Notdurft mir die Zunge.
– Du hast nichts mehr zu schenken, ach! du hast
Nicht mehr, wovon du morgen könntest leben! 490
Die hohe Flut des Reichtums ist zerflossen,
Und tiefe Ebbe ist in deinem Schatz.
Den Truppen ist der Sold noch nicht bezahlt,
Sie drohen murrend abzuziehn. – Kaum weiß

Ich Rat, dein eignes königliches Haus
Notdürftig nur, nicht fürstlich, zu erhalten.
K a r l. Verpfände meine königlichen Zölle
Und laß dir Geld darleihn von den Lombarden.
D u C h a t e l. Sire, deine Kroneinkünfte, deine Zölle
Sind auf drei Jahre schon voraus verpfändet.                        500
D u n o i s. Und unterdes geht Pfand und Land verloren.
K a r l. Uns bleiben noch viel reiche schöne Länder.
D u n o i s. Solang es Gott gefällt und Talbots Schwert!
Wenn Orleans genommen ist, magst du
Mit deinem König René Schafe hüten.
K a r l. Stets übst du deinen Witz an diesem König,
Doch ist es dieser länderlose Fürst,
Der eben heut mich königlich beschenkte.
D u n o i s. Nur nicht mit seiner Krone von Neapel,
Um Gottes willen nicht! Denn die ist feil,                         510
Hab ich gehört, seitdem er Schafe weidet.
K a r l. Das ist ein Scherz, ein heitres Spiel, ein Fest,
Das er sich selbst und seinem Herzen gibt,
Sich eine schuldlos reine Welt zu gründen
In dieser rauh barbar'schen Wirklichkeit.
Doch was er Großes, Königliches will –
Er will die alten Zeiten wiederbringen,
Wo zarte Minne herrschte, wo die Liebe
Der Ritter große Heldenherzen hob
Und edle Frauen zu Gerichte saßen,                                 520
Mit zartem Sinne alles Feine schlichtend.
In jenen Zeiten wohnt der heitre Greis,
Und wie sie noch in alten Liedern leben,
So will er sie, wie eine Himmelstadt
In goldnen Wolken, auf die Erde setzen –
Gegründet hat er einen Liebeshof,
Wohin die edlen Ritter sollen wallen,
Wo keusche Frauen herrlich sollen thronen,
Wo reine Minne wiederkehren soll,
Und mich hat er erwählt zum Fürst der Liebe.                       530
D u n o i s. Ich bin so sehr nicht aus der Art geschlagen,
Daß ich der Liebe Herrschaft sollte schmähn.
Ich nenne mich nach ihr, ich bin ihr Sohn,
Und all mein Erbe liegt in ihrem Reich.

Mein Vater war der Prinz von Orleans,
Ihm war kein weiblich Herz unüberwindlich,
Doch auch kein feindlich Schloß war ihm zu fest.
Willst du der Liebe Fürst dich würdig nennen,
So sei der Tapfern Tapferster! – Wie *ich*
Aus jenen alten Büchern mir gelesen,                     · 540
War Liebe stets mit hoher Rittertat
Gepaart, und Helden, hat man mich gelehrt,
Nicht Schäfer saßen an der Tafelrunde.
Wer nicht die Schönheit tapfer kann beschützen,
Verdient nicht ihren goldnen Preis. – Hier ist
Der Fechtplatz! Kämpf um deiner Väter Krone!
Verteidige mit ritterlichem Schwert
Dein Eigentum und edler Frauen Ehre –
Und hast du dir aus Strömen Feindesbluts
Die angestammte Krone kühn erobert,                      550
Dann ist es Zeit und steht dir fürstlich an,
Dich mit der Liebe Myrten zu bekrönen.
K a r l *(zu einem Edelknecht, der hereintritt).*
    Was gibt's?
E d e l k n e c h t.   Ratsherrn von Orleans flehn um Gehör.
K a r l. Führ sie herein.
            *(Edelknecht geht ab.)*
                    Sie werden Hilfe fordern –
Was kann ich tun, der selber hilflos ist!


### DRITTER AUFTRITT

*Drei Ratsherren zu den Vorigen.*

K a r l. Willkommen, meine vielgetreuen Bürger
Aus Orleans! Wie steht's um meine gute Stadt?
Fährt sie noch fort, mit dem gewohnten Mut
Dem Feind zu widerstehn, der sie belagert?
R a t s h e r r.  Ach Sire! Es drängt die höchste Not, und
                        stündlich wachsend      560
Schwillt das Verderben an die Stadt heran.
Die äußern Werke sind zerstört, der Feind
Gewinnt mit jedem Sturme neuen Boden.
Entblößt sind von Verteidigern die Mauern,

Denn rastlos fechtend fällt die Mannschaft aus;
Doch wen'ge sehn die Heimatpforte wieder,
Und auch des Hungers Plage droht der Stadt.
Drum hat der edle Graf von Rochepierre,
Der drin befiehlt, in dieser höchsten Not
Vertragen mit dem Feind, nach altem Brauch,          570
Sich zu ergeben auf den zwölften Tag,
Wenn binnen dieser Zeit kein Heer im Feld
Erschien, zahlreich genug, die Stadt zu retten.
　　*(Dunois macht eine heftige Bewegung des Zorns.)*
K a r l.  Die Frist ist kurz.
R a t s h e r r.　　　　　　Und jetzo sind wir hier
Mit Feinds Geleit, daß wir dein fürstlich Herz
Anflehen, deiner Stadt dich zu erbarmen
Und Hilf' zu senden binnen dieser Frist,
Sonst übergibt er sie am zwölften Tage.
D u n o i s.  Saintrailles konnte seine Stimme geben
Zu solchem schimpflichen Vertrag!
R a t s h e r r.　　　　　　Nein, Herr!          580
Solang der Tapfre lebte, durfte nie
Die Rede sein von Fried' und Übergabe.
D u n o i s.  So ist er tot!
R a t s h e r r.　　　　　An unsern Mauern sank
Der edle Held für seines Königs Sache.
K a r l.  Saintrailles tot! O in dem einz'gen Mann
Sinkt mir ein Heer!
*(Ein Ritter kommt und spricht einige Worte leise mit dem
　　　Bastard, welcher betroffen auffährt.)*
D u n o i s.　　　　　　Auch das noch!
K a r l.　　　　　　　　　　Nun! Was gibt's?
D u n o i s.  Graf Douglas sendet her. Die schott'schen Völker
Empören sich und drohen abzuziehn,
Wenn sie nicht heut den Rückstand noch erhalten.
K a r l.  Du Chatel!
D u  C h a t e l  *(zuckt die Achseln).*
　　　　　　Sire! Ich weiß nicht Rat.
K a r l.　　　　　　　　　　Versprich,          590
Verpfände, was du hast, mein halbes Reich —
D u  C h a t e l.
Hilft nichts! Sie sind zu oft vertröstet worden!

K a r l.  Es sind die besten Truppen meines Heers!
    Sie sollen mich jetzt nicht, nicht jetzt verlassen!
R a t s h e r r  *(mit einem Fußfall).*
    O König, hilf uns! *Unsrer* Not gedenke!
K a r l  *(verzweiflungsvoll).*
    Kann ich Armeen aus der Erde stampfen?
    Wächst mir ein Kornfeld in der flachen Hand?
    Reißt mich in Stücken, reißt das Herz mir aus
    Und münzet es statt Goldes! Blut hab ich
    Für euch, nicht Silber hab ich noch Soldaten!    600
    *(Er sieht die Sorel hereintreten und eilt ihr mit ausgebrei-*
    *teten Armen entgegen.)*


### VIERTER AUFTRITT

*Agnes Sorel, ein Kästchen in der Hand, zu den Vorigen.*

K a r l.  O meine Agnes! Mein geliebtes Leben!
    Du kommst, mich der Verzweiflung zu entreißen!
    Ich habe dich, ich flieh an deine Brust,
    Nichts ist verloren, denn du bist noch mein.
S o r e l.  Mein teurer König!
    *(Mit ängstlich fragendem Blick umherschauend.)*
                    Dunois! Ist's wahr?
    Du Chatel?
D u  C h a t e l.  Leider!
S o r e l.            *Ist* die Not so groß?
    Es fehlt am Sold? Die Truppen wollen abziehn?
D u  C h a t e l.  Ja, leider ist es so!
S o r e l  *(ihm das Kästchen aufdringend).*
                 Hier, hier ist Gold,
    Hier sind Juwelen – Schmelzt mein Silber ein –
    Verkauft, verpfändet meine Schlösser – Leihet    610
    Auf meine Güter in Provence – Macht alles
    Zu Gelde und befriediget die Truppen.
    Fort! Keine Zeit verloren! *(Treibt ihn fort.)*
K a r l.  Nun, Dunois? Nun, Du Chatel! Bin ich euch
    Noch arm, da ich die Krone aller Frauen
    Besitze? – Sie ist edel wie ich selbst
    Geboren, selbst das königliche Blut

Der Valois ist nicht reiner; zieren würde sie
Den ersten Thron der Welt – doch sie verschmäht ihn,
Nur meine Liebe will sie sein und heißen.          620
Erlaubte sie mir jemals ein Geschenk
Von höherm Wert als eine frühe Blume
Im Winter oder seltne Frucht? Von mir
Nimmt sie kein Opfer an und bringt mir alle!
Wagt ihren ganzen Reichtum und Besitz
Großmütig an mein untersinkend Glück.

D u n o i s.  Ja, sie ist eine Rasende wie du
Und wirft ihr alles in ein brennend Haus
Und schöpft ins lecke Faß der Danaiden.
Dich wird sie nicht erretten, nur sich selbst          630
Wird sie mit dir verderben –

S o r e l.                          Glaub ihm nicht.
Er hat sein Leben zehenmal für dich
Gewagt und zürnt, daß ich mein Gold jetzt wage.
Wie? Hab ich dir nicht alles hin geopfert,
Was mehr geachtet wird als Gold und Perlen,
Und sollte jetzt mein Glück für mich behalten?
Komm! Laß uns allen überflüss'gen Schmuck
Des Lebens von uns werfen! Laß mich dir
Ein edles Beispiel der Entsagung geben!
Verwandle deinen Hofstaat in Soldaten,          640
Dein Gold in Eisen; alles, was du hast,
Wirf es entschlossen hin nach deiner Krone!
Komm! Komm! Wir teilen Mangel und Gefahr!
Das kriegerische Roß laß uns besteigen,
Den zarten Leib dem glühnden Pfeil der Sonne
Preisgeben, die Gewölke über uns
Zur Decke nehmen und den Stein zum Pfühl.
Der rauhe Krieger wird sein eignes Weh
Geduldig tragen, sieht er seinen König,
Dem Ärmsten gleich, ausdauern und entbehren!          650

K a r l *(lächelnd)*. Ja, nun erfüllt sich mir ein altes Wort
Der Weissagung, das eine Nonne mir
Zu Clermont im prophet'schen Geiste sprach.
Ein Weib, verhieß die Nonne, würde mich
Zum Sieger machen über alle Feinde
Und meiner Väter Krone mir erkämpfen.

Fern sucht' ich sie im Feindeslager auf,
Das Herz der Mutter hofft' ich zu versöhnen –
Hier steht die Heldin, die nach Reims mich führt,
Durch meiner Agnes Liebe werd ich siegen!                     660

**S o r e l.**  Du wirst's durch deiner Freunde tapfres Schwert.

**K a r l.**  Auch von der Feinde Zwietracht hoff ich viel –
Denn mir ist sichre Kunde zugekommen,
Daß zwischen diesen stolzen Lords von England
Und meinem Vetter von Burgund nicht alles mehr
So steht wie sonst – Drum hab ich den La Hire
Mit Botschaft an den Herzog abgefertigt,
Ob mir's gelänge, den erzürnten Pair
Zur alten Pflicht und Treu' zurückzuführen –
Mit jeder Stunde wart ich seiner Ankunft.                     670

**D u  C h a t e l** *(am Fenster).*
Der Ritter sprengt soeben in den Hof.

**K a r l.**  Willkommner Bote! Nun, so werden wir
Bald wissen, ob wir weichen oder siegen.


FÜNFTER AUFTRITT

*La Hire zu den Vorigen.*

**K a r l** *(geht ihm entgegen).*
La Hire! Bringst du uns Hoffnung oder keine?
Erklär dich kurz. Was hab ich zu erwarten?

**L a  H i r e.**  Erwarte nichts mehr, als von deinem Schwert.

**K a r l.**  Der stolze Herzog läßt sich nicht versöhnen!
O sprich! Wie nahm er meine Botschaft auf?

**L a  H i r e.**  Vor allen Dingen, und bevor er noch
Ein Ohr dir könne leihen, fordert er,                         680
Daß ihm Du Chatel ausgeliefert werde,
Den er den Mörder seines Vaters nennt.

**K a r l.**  Und, weigern wir uns dieser Schmachbedingung?

**L a  H i r e.**  Dann sei der Bund zertrennt, noch eh' er anfing.

**K a r l.**  Hast du ihn drauf, wie ich dir anbefahl,
Zum Kampf mit mir gefordert auf der Brücke
Zu Montereau, allwo sein Vater fiel?

**L a  H i r e.**  Ich warf ihm deinen Handschuh hin und sprach,
Du wolltest deiner Hoheit dich begeben

Und als ein Ritter kämpfen um dein Reich.                690
Doch er versetzte: nimmer tät's ihm not,
Um *das* zu fechten, was er schon besitze.
Doch wenn dich so nach Kämpfen lüstete,
So würdest du vor Orleans ihn finden,
Wohin er morgen willens sei zu gehn;
Und damit kehrt' er lachend mir den Rücken.

K a r l. Erhob sich nicht in meinem Parlamente
Die reine Stimme der Gerechtigkeit?

L a H i r e. Sie ist verstummt vor der Parteien Wut.
Ein Schluß des Parlaments erklärte dich                700
Des Throns verlustig, dich und dein Geschlecht.

D u n o i s. Ha, frecher Stolz des Herr gewordnen Bürgers!

K a r l. Hast du bei meiner Mutter nichts versucht?

L a H i r e. Bei deiner Mutter!

K a r l.                        Ja! Wie ließ sie sich vernehmen?

L a H i r e *(nachdem er einige Augenblicke sich bedacht).*
Es war gerad das Fest der Königskrönung,
Als ich zu Saint-Denis eintrat. Geschmückt
Wie zum Triumphe waren die Pariser,
In jeder Gasse stiegen Ehrenbogen,
Durch die der engelländ'sche König zog.
Bestreut mit Blumen war der Weg, und jauchzend,      710
Als hätte Frankreich seinen schönsten Sieg
Erfochten, sprang der Pöbel um den Wagen.

S o r e l. Sie jauchzten – jauchzten, daß sie auf das Herz
Des liebevollen sanften Königs traten!

L a H i r e. Ich sah den jungen Harry Lancaster,
Den Knaben, auf dem königlichen Stuhl
Sankt Ludwigs sitzen, seine stolzen Öhme
Bedford und Gloster standen neben ihm,
Und Herzog Philipp kniet' am Throne nieder
Und leistete den Eid für seine Länder.               720

K a r l. O ehrvergeßner Pair! Unwürd'ger Vetter!

L a H i r e. Das Kind war bang und strauchelte, da es
Die hohen Stufen an dem Thron hinanstieg.
»Ein böses Omen!« murmelte das Volk,
Und es erhub sich schallendes Gelächter.
Da trat die alte Königin, deine Mutter,
Hinzu, und – mich entrüstet, es zu sagen!

K a r l. Nun?
L a  H i r e.   In die Arme faßte sie den Knaben
Und setzt' ihn selbst auf deines Vaters Stuhl.
K a r l. O Mutter! Mutter!
L a  H i r e.                    Selbst die wütenden          730
Burgundier, die mordgewohnten Banden,
Erglüheten vor Scham bei diesem Anblick.
Sie nahm es wahr, und an das Volk gewendet
Rief sie mit lauter Stimm': »Dankt mir's, Franzosen,
Daß ich den kranken Stamm mit reinem Zweig
Veredle, euch bewahre vor dem miß-
Gebornen Sohn des hirnverrückten Vaters!«
*(Der König verhüllt sich, Agnes eilt auf ihn zu und schließt*
*ihn in ihre Arme, alle Umstehenden drücken ihren Abscheu,*
*ihr Entsetzen aus.)*
D u n o i s. Die Wölfin! die wutschnaubende Megäre!
K a r l *(nach einer Pause zu den Ratsherren).*
Ihr habt gehört, wie hier die Sachen stehn.
Verweilt nicht länger, geht nach Orleans          740
Zurück und meldet meiner treuen Stadt:
Des Eides gegen mich entlaß ich sie.
Sie mag ihr Heil beherzigen und sich
Der Gnade des Burgundiers ergeben –
Er heißt der *Gute*, er wird menschlich sein.
D u n o i s. Wie, Sire? Du wolltest Orleans verlassen!
R a t s h e r r *(kniet nieder).*
Mein königlicher Herr! Zieh deine Hand
Nicht von uns ab! Gib deine treue Stadt
Nicht unter Englands harte Herrschaft hin.
Sie ist ein edler Stein in deiner Krone,          750
Und keine hat den Königen, deinen Ahnherrn,
Die Treue heiliger bewahrt.
D u n o i s.                    Sind wir
Geschlagen? Ist's erlaubt, das Feld zu räumen,
Eh' noch ein Schwertstreich um die Stadt geschehn?
Mit einem leichten Wörtlein, ehe Blut
Geflossen ist, denkst du die beste Stadt
Aus Frankreichs Herzen wegzugeben?
K a r l.                              G'nug
Des Blutes ist geflossen und vergebens!

Des Himmels schwere Hand ist gegen mich:
Geschlagen wird mein Heer in allen Schlachten,                760
Mein Parlament verwirft mich, meine Hauptstadt,
Mein Volk nimmt meinen Gegner jauchzend auf,
Die mir die Nächsten sind am Blut, verlassen,
Verraten mich – die eigne Mutter nährt
Die fremde Feindesbrut an ihren Brüsten.
– Wir wollen jenseits der Loire uns ziehn
Und der gewalt'gen Hand des Himmels weichen,
Der mit dem Engelländer ist.
S o r e l.  Das wolle Gott nicht, daß wir, an uns selbst
Verzweifelnd, diesem Reich den Rücken wenden!                770
Dies Wort kam nicht aus deiner tapfern Brust.
Der Mutter unnatürlich rohe Tat
Hat meines Königs Heldenherz gebrochen!
Du wirst dich wiederfinden, männlich fassen,
Mit edelm Mut dem Schicksal widerstehen,
Das grimmig dir entgegenkämpft.
K a r l  *(in düstres Sinnen verloren).*   Ist es nicht wahr?
Ein finster furchtbares Verhängnis waltet
Durch Valois' Geschlecht, es ist verworfen
Von Gott, der Mutter Lastertaten führten
Die Furien herein in dieses Haus:                            780
Mein Vater lag im Wahnsinn zwanzig Jahre,
Drei ältre Brüder hat der Tod vor mir
Hinweggemäht – es ist des Himmels Schluß,
Das Haus des sechsten Karls soll untergehn.
S o r e l.  In dir wird es sich neu verjüngt erheben!
Hab Glauben an dich selbst. – Oh! nicht umsonst
Hat dich ein gnädig Schicksal aufgespart
Von deinen Brüdern allen, dich den jüngsten
Gerufen auf den ungehofften Thron.
In deiner sanften Seele hat der Himmel                       790
Den Arzt für alle Wunden sich bereitet,
Die der Parteien Wut dem Lande schlug.
Des Bürgerkrieges Flammen wirst du löschen,
Mir sagt's das Herz, den Frieden wirst du pflanzen,
Des Frankenreiches neuer Stifter sein.
K a r l.  Nicht ich. Die rauhe sturmbewegte Zeit
Heischt einen kraftbegabtern Steuermann.

Ich hätt' ein friedlich Volk beglücken können;
Ein wild empörtes kann ich nicht bezähmen,
Nicht mir die Herzen öffnen mit dem Schwert,          800
Die sich entfremdet mir in Haß verschließen.

S o r e l.  Verblendet ist das Volk, ein Wahn betäubt es,
Doch dieser Taumel wird vorübergehn,
Erwachen wird, nicht fern mehr ist der Tag,
Die Liebe zu dem angestammten König,
Die tief gepflanzt ist in des Franken Brust,
Der alte Haß, die Eifersucht erwachen,
Die beide Völker ewig feindlich trennt;
Den stolzen Sieger stürzt sein eignes Glück.
Darum verlasse nicht mit Übereilung          810
Den Kampfplatz, ring um jeden Fußbreit Erde,
Wie deine eigne Brust verteidige
Dies Orleans! Laß alle Fähren lieber
Versenken, alle Brücken niederbrennen,
Die über diese Scheide deines Reichs,
Das styg'sche Wasser der Loire dich führen.

K a r l.  Was ich vermocht', hab ich getan. Ich habe
Mich dargestellt zum ritterlichen Kampf
Um meine Krone. — Man verweigert ihn.
Umsonst verschwend ich meines Volkes Leben,          820
Und meine Städte sinken in den Staub.
Soll ich gleich jener unnatürlichen Mutter
Mein Kind zerteilen lassen mit dem Schwert?
Nein, daß es lebe, will ich ihm entsagen.

D u n o i s.  Wie, Sire? Ist das die Sprache eines Königs?
Gibt man *so* eine Krone auf? Es setzt
Der Schlechtste deines Volkes Gut und Blut
An seine Meinung, seinen Haß und Liebe;
Partei wird alles, wenn das blut'ge Zeichen
Des Bürgerkrieges ausgehangen ist.          830
Der Ackersmann verläßt den Pflug, das Weib
Den Rocken, Kinder, Greise waffnen sich,
Der Bürger zündet seine Stadt, der Landmann
Mit eignen Händen seine Saaten an,
Um dir zu schaden oder wohl zu tun
Und seines Herzens Wollen zu behaupten.
Nichts schont er selber und erwartet sich

Nicht Schonung, wenn die Ehre ruft, wenn er
Für seine Götter oder Götzen kämpft.
Drum weg mit diesem weichlichen Mitleiden,                    840
Das einer Königsbrust nicht ziemt. – Laß du
Den Krieg ausrasen, wie er angefangen,
Du hast ihn nicht leichtsinnig selbst entflammt.
Für seinen König muß das Volk sich opfern,
Das ist das Schicksal und Gesetz der Welt.
Der Franke weiß es nicht und will's nicht anders.
Nichtswürdig ist die Nation, die nicht
Ihr alles freudig setzt an ihre Ehre.

K a r l *(zu den Ratsherren).*
Erwartet keinen anderen Bescheid.
Gott schütz' euch. Ich kann nicht mehr.

D u n o i s.                          Nun so kehre     850
Der Siegesgott auf ewig dir den Rücken,
Wie du dem väterlichen Reich. Du hast
Dich selbst verlassen, so verlaß ich dich.
Nicht Englands und Burgunds vereinte Macht,
Dich stürzt der eigne Kleinmut von dem Thron.
Die Könige Frankreichs sind geborne Helden,
Du aber bist unkriegerisch gezeugt.
*(Zu den Ratsherren.)*
Der König gibt euch auf. Ich aber will
In Orleans, meines Vaters Stadt, mich werfen
Und unter ihren Trümmern mich begraben.                      860
       *(Er will gehen. Agnes Sorel hält ihn auf.)*

S o r e l *(zum König).*
O laß ihn nicht im Zorne von dir gehn!
Sein Mund spricht rauhe Worte, doch sein Herz
Ist treu wie Gold; es ist derselbe doch,
Der warm dich liebt und oft für dich geblutet.
Kommt, Dunois! Gesteht, daß Euch die Hitze
Des edeln Zorns so weit geführt – Du aber
Verzeih dem treuen Freund die heft'ge Rede!
O kommt, kommt! Laßt mich eure Herzen schnell
Vereinigen, eh' sich der rasche Zorn
Unlöschbar, der verderbliche, entflammt!                     870
*(Dunois fixiert den König und scheint eine Antwort zu er-*
                *warten.)*

K a r l *(zu Du Chatel).* Wir gehen über die Loire. Laß mein
    Gerät zu Schiffe bringen!
D u n o i s *(schnell zur Sorel).*    Lebet wohl!
    *(Wendet sich schnell und geht, Ratsherren folgen.)*
S o r e l *(ringt verzweiflungsvoll die Hände).*
    O wenn er geht, so sind wir ganz verlassen!
    – Folgt ihm, La Hire. O sucht ihn zu begüt'gen.
           *(La Hire geht ab.)*


### SECHSTER AUFTRITT

*Karl. Sorel. Du Chatel.*

K a r l. Ist denn die Krone ein so einzig Gut?
    Ist es so bitter schwer, davon zu scheiden?
    Ich kenne, was noch schwerer sich erträgt:
    Von diesen trotzig herrischen Gemütern
    Sich meistern lassen, von der Gnade leben
    Hochsinnig eigenwilliger Vasallen,               880
    Das ist das Harte für ein edles Herz
    Und bittrer als dem Schicksal unterliegen!
    *(Zu Du Chatel, der noch zaudert.)*
    Tu, was ich dir befohlen!
D u C h a t e l *(wirft sich zu seinen Füßen).*
              O mein König!
K a r l. Es ist beschlossen. Keine Worte weiter!
D u C h a t e l. Mach Frieden mit dem Herzog von Burgund,
    Sonst seh ich keine Rettung mehr für dich.
K a r l. *Du* rätst mir dieses, und *dein Blut* ist es,
    Womit ich diesen Frieden soll versiegeln?
D u C h a t e l. Hier ist mein Haupt. Ich hab es oft für dich
    Gewagt in Schlachten, und ich leg es jetzt     890
    Für dich mit Freuden auf das Blutgerüste.
    Befriedige den Herzog. Überliefre mich
    Der ganzen Strenge seines Zorns und laß
    Mein fließend Blut den alten Haß versöhnen!
K a r l *(blickt ihn eine Zeitlang gerührt und schweigend an).*
    Ist es denn wahr? Steht es so schlimm mit mir,
    Daß meine Freunde, die mein Herz durchschauen,
    Den Weg der Schande mir zur Rettung zeigen?

Ja, jetzt erkenn ich meinen tiefen Fall,
Denn das Vertraun ist hin auf meine Ehre.
D u  C h a t e l.
Bedenk –
K a r l.     Kein Wort mehr! Bringe mich nicht auf!     900
Müßt' ich zehn Reiche mit dem Rücken schauen,
Ich rette mich nicht mit des Freundes Leben.
– Tu, was ich dir befohlen. Geh und laß
Mein Heergerät einschiffen.
D u  C h a t e l.               Es wird schnell
Getan sein.
          *(Steht auf und geht, Agnes Sorel weint heftig.)*

### SIEBENTER AUFTRITT

*Karl und Agnes Sorel.*

K a r l *(ihre Hand fassend).*
               Sei nicht traurig, meine Agnes.
Auch jenseits der Loire liegt noch ein Frankreich,
Wir gehen in ein glücklicheres Land.
Da lacht ein milder, nie bewölkter Himmel,
Und leichtre Lüfte wehn, und sanftre Sitten
Empfangen uns, da wohnen die Gesänge,          910
Und schöner blüht das Leben und die Liebe.
S o r e l. O muß ich diesen Tag des Jammers schauen!
Der König muß in die Verbannung gehn,
Der Sohn auswandern aus des Vaters Hause
Und seine Wiege mit dem Rücken schauen.
O angenehmes Land, das wir verlassen,
Nie werden wir dich freudig mehr betreten.

### ACHTER AUFTRITT

*La Hire kommt zurück. Karl und Sorel.*

S o r e l. Ihr kommt allein. Ihr bringt ihn nicht zurück?
          *(Indem sie ihn näher ansieht.)*
La Hire! Was gibt's? Was sagt mir Euer Blick?
Ein neues Unglück ist geschehn!

La Hire.            Das Unglück     920
   Hat sich erschöpft, und Sonnenschein ist wieder!
Sorel. Was ist's? Ich bitt Euch.
La Hire *(zum König)*.     Ruf die Abgesandten
   Von Orleans zurück!
Karl.          Warum? Was gibt's?
La Hire. Ruf sie zurück. Dein Glück hat sich gewendet,
   Ein Treffen ist geschehn – du hast *gesiegt.*
Sorel. Gesiegt! O himmlische Musik des Wortes!
Karl. La Hire! Dich täuscht ein fabelhaft Gerücht.
   Gesiegt! Ich glaub an keine Siege mehr.
La Hire. O du wirst bald noch größre Wunder glauben.
   – Da kommt der Erzbischof. Er führt den Bastard    930
   In deinen Arm zurück –
Sorel.           O schöne Blume
   Des Siegs, die gleich die edeln Himmelsfrüchte
   Fried' und Versöhnung trägt!

### NEUNTER AUFTRITT

*Erzbischof von Reims. Dunois. Du Chatel mit Raoul, einem*
*geharnischten Ritter, zu den Vorigen.*

Erzbischof *(führt den Bastard zu dem König und legt*
*ihre Hände ineinander).*      Umarmt euch, Prinzen!
   Laßt allen Groll und Hader jetzo schwinden,
   Da sich der Himmel selbst für uns erklärt.
           *(Dunois umarmt den König.)*
Karl. Reißt mich aus meinem Zweifel und Erstaunen.
   Was kündigt dieser feierliche Ernst mir an?
   Was wirkte diesen schnellen Wechsel?
Erzbischof *(führt den Ritter hervor und stellt ihn vor*
*den König).* Redet!
Raoul.        Wir hatten sechzehn Fähnlein aufgebracht,
   Lothringisch Volk, zu deinem Heer zu stoßen,    940
   Und Ritter Baudricour aus Vaucouleurs
   War unser Führer. Als wir nun die Höhen
   Bei Vermanton erreicht und in das Tal,
   Das die Yonne durchströmt, herunterstiegen,
   Da stand in weiter Ebene vor uns der Feind,

Und Waffen blitzten, da wir rückwärts sahn.
Umrungen sahn wir uns von beiden Heeren,
Nicht Hoffnung war, zu siegen noch zu fliehn;
Da sank dem Tapfersten das Herz, und alles,
Verzweiflungsvoll, will schon die Waffen strecken.          950
Als nun die Führer miteinander noch
Rat suchten und nicht fanden – sieh, da stellte sich
Ein seltsam Wunder unsern Augen dar!
Denn aus der Tiefe des Gehölzes plötzlich
Trat eine Jungfrau, mit behelmtem Haupt
Wie eine Kriegesgöttin, schön zugleich
Und schrecklich anzusehn; um ihren Nacken
In dunkeln Ringen fiel das Haar; ein Glanz
Vom Himmel schien die Hohe zu umleuchten,
Als sie die Stimm' erhub und also sprach:          960
»Was zagt ihr, tapfre Franken! Auf den Feind!
Und wären sein mehr denn des Sands im Meere,
Gott und die heil'ge Jungfrau führt euch an!«
Und schnell dem Fahnenträger aus der Hand
Riß sie die Fahn', und vor dem Zuge her
Mit kühnem Anstand schritt die Mächtige.
Wir, stumm vor Staunen, selbst nicht wollend, folgen
Der hohen Fahn' und ihrer Trägerin,
Und auf den Feind gerad an stürmen wir.
*Der*, hochbetroffen, steht bewegungslos,          970
Mit weit geöffnet starrem Blick das Wunder
Anstaunend, das sich seinen Augen zeigt –
Doch schnell, als hätten Gottes Schrecken ihn
Ergriffen, wendet er sich um
Zur Flucht, und Wehr und Waffen von sich werfend
Entschart das ganze Heer sich im Gefilde;
Da hilft kein Machtwort, keines Führers Ruf,
Vor Schrecken sinnlos, ohne rückzuschaun,
Stürzt Mann und Roß sich in des Flusses Bette
Und läßt sich würgen ohne Widerstand –          980
Ein Schlachten war's, nicht eine Schlacht zu nennen!
Zweitausend Feinde deckten das Gefild',
Die nicht gerechnet, die der Fluß verschlang,
Und von den Unsern ward kein Mann vermißt.
K a r l.  Seltsam bei Gott! höchst wunderbar und seltsam!

S o r e l.  Und eine Jungfrau wirkte dieses Wunder?
 Wo kam sie her? Wer ist sie?
R a o u l.                    Wer sie sei,
 Will sie allein dem König offenbaren.
 Sie nennt sich eine Seherin und gott-
 Gesendete Prophetin und verspricht,                    990
 Orleans zu retten, eh' der Mond noch wechselt.
 Ihr glaubt das Volk und dürstet nach Gefechten.
 Sie folgt dem Heer, gleich wird sie selbst hier sein.
 *(Man hört Glocken und ein Geklirr von Waffen, die an-*
 *einandergeschlagen werden.)*
 Hört ihr den Auflauf? Das Geläut der Glocken?
 Sie ist's, das Volk begrüßt die Gottgesandte.
K a r l  *(zu Du Chatel).*
 Führt sie herein –
 *(Zum Erzbischof.)*   Was soll ich davon denken!
 Ein Mädchen bringt mir Sieg und eben jetzt,
 Da nur ein Götterarm mich retten kann!
 Das ist nicht in dem Laufe der Natur,
 Und darf ich – Bischof, darf ich Wunder glauben?    1000
V i e l e  S t i m m e n  *(hinter der Szene).*
 Heil, Heil der Jungfrau, der Erretterin!
K a r l.  Sie kommt!
 *(Zu Dunois.)*      Nehmt meinen Platz ein, Dunois!
 Wir wollen dieses Wundermädchen prüfen:
 *Ist* sie begeistert und von Gott gesandt,
 Wird sie den König zu entdecken wissen.
*(Dunois setzt sich, der König steht zu seiner Rechten, neben*
*ihm Agnes Sorel, der Erzbischof mit den übrigen gegenüber,*
*daß der mittlere Raum leer bleibt.)*


ZEHNTER AUFTRITT


*Die Vorigen. Johanna, begleitet von den Ratsherren und*
*vielen Rittern, welche den Hintergrund der Szene anfüllen;*
*mit edelm Anstand tritt sie vorwärts und schaut die Um-*
*stehenden der Reihe nach an.*

D u n o i s  *(nach einer tiefen feierlichen Stille).*
 Bist du es, wunderbares Mädchen –

J o h a n n a *(unterbricht ihn, mit Klarheit und Hoheit ihn*
      *anschauend).*
   Bastard von Orleans! Du willst Gott versuchen!
   Steh auf von diesem Platz, der dir nicht ziemt,
   An diesen Größeren bin ich gesendet.
*(Sie geht mit entschiedenem Schritt auf den König zu, beugt*
*ein Knie vor ihm und steht sogleich wieder auf, zurücktre-*
*tend. Alle Anwesenden drücken ihr Erstaunen aus. Dunois*
   *verläßt seinen Sitz, und es wird Raum vor dem König.)*
K a r l. Du siehst mein Antlitz heut zum erstenmal –   1010
   Von wannen kommt dir diese Wissenschaft?
J o h a n n a. Ich sah dich, wo dich niemand sah als Gott.
   *(Sie nähert sich dem König und spricht geheimnisvoll.)*
   In jüngst verwichner Nacht, besinne dich!
   Als alles um dich her in tiefem Schlaf
   Begraben lag, da standst du auf von deinem Lager
   Und tatst ein brünstiges Gebet zu Gott.
   Laß *die* hinausgehn, und ich nenne dir
   Den Inhalt des Gebets.
K a r l.                 Was ich dem Himmel
   Vertraut, brauch ich vor Menschen nicht zu bergen.
   Entdecke mir den Inhalt meines Flehns,            1020
   So zweifl' ich nicht mehr, daß dich Gott begeistert.
J o h a n n a. Es waren drei Gebete, die du tatst;
   Gib wohl acht, Dauphin, ob ich dir sie nenne!
   Zum ersten flehtest du den Himmel an,
   Wenn unrecht Gut an dieser Krone hafte,
   Wenn eine andre schwere Schuld, noch nicht
   Gebüßt, von deiner Väter Zeiten her,
   Diesen tränenvollen Krieg herbeigerufen,
   Dich zum Opfer anzunehmen für dein Volk
   Und auszugießen auf dein einzig Haupt            1030
   Die ganze Schale seines Zorns.
K a r l *(tritt mit Schrecken zurück).*
   Wer bist du, mächtig Wesen? Woher kommst du?
                  *(Alle zeigen ihr Erstaunen.)*
J o h a n n a. Du tatst dem Himmel diese zweite Bitte:
   Wenn es sein hoher Schluß und Wille sei,
   Das Zepter deinem Stamme zu entwinden,
   Dir alles zu entziehn, was deine Väter,

Die Könige in diesem Reich, besaßen –
Drei einz'ge Güter flehtest du ihn an
Dir zu bewahren: die zufriedne Brust,
Des Freundes Herz und deiner Agnes Liebe.                    1040
*(König verbirgt das Gesicht heftig weinend, große Bewe-*
*gung des Erstaunens unter den Anwesenden. Nach einer*
*Pause.)*
Soll ich dein dritt Gebet dir nun noch nennen?
K a r l. Genug! Ich glaube dir! So viel vermag
Kein Mensch! Dich hat der höchste Gott gesendet.
E r z b i s c h o f. Wer bist du heilig wunderbares Mädchen?
Welch glücklich Land gebar dich? Sprich! Wer sind
Die gottgeliebten Eltern, die dich zeugten?
J o h a n n a.
Ehrwürd'ger Herr, Johanna nennt man mich,
Ich bin nur eines Hirten niedre Tochter
Aus meines Königs Flecken Dom Remi,
Der in dem Kirchensprengel liegt von Toul,                    1050
Und hütete die Schafe meines Vaters
Von Kind auf – Und ich hörte viel und oft
Erzählen von dem fremden Inselvolk,
Das über Meer gekommen, uns zu Knechten
Zu machen und dem fremdgebornen Herrn
Uns aufzuzwingen, der das Volk nicht liebt;
Und daß sie schon die große Stadt Paris
Innhätten und des Reiches sich ermächtigt.
Da rief ich flehend Gottes Mutter an,
Von uns zu wenden fremder Ketten Schmach,                    1060
Uns den einheim'schen König zu bewahren.
Und vor dem Dorf, wo ich geboren, steht
Ein uralt Muttergottesbild, zu dem
Der frommen Pilgerfahrten viel geschahn,
Und eine heil'ge Eiche steht darneben,
Durch vieler Wunder Segenskraft berühmt.
Und in der Eiche Schatten saß ich gern,
Die Herde weidend, denn mich zog das Herz.
Und ging ein Lamm mir in den wüsten Bergen
Verloren, immer zeigte mir's der Traum,                    1070
Wenn ich im Schatten dieser Eiche schlief.
– Und einsmals, als ich eine lange Nacht

In frommer Andacht unter diesem Baum
Gesessen und dem Schlafe widerstand,
Da trat die Heilige zu mir, ein Schwert
Und Fahne tragend, aber sonst wie ich
Als Schäferin gekleidet, und sie sprach zu mir:
»Ich bin's. Steh auf, Johanna. Laß die Herde.
Dich ruft der Herr zu einem anderen Geschäft!
Nimm diese Fahne! Dieses Schwert umgürte dir!          1080
Damit vertilge meines Volkes Feinde
Und führe deines Herren Sohn nach Reims
Und krön ihn mit der königlichen Krone!«
Ich aber sprach: »Wie kann ich solcher Tat
Mich unterwinden, eine zarte Magd,
Unkundig des verderblichen Gefechts!«
Und sie versetzte: »Eine reine Jungfrau
Vollbringt jedwedes Herrliche auf Erden,
Wenn sie der ird'schen Liebe widersteht.
Sieh *mich* an! Eine keusche Magd wie du          1090
Hab ich den Herrn, den göttlichen, geboren,
Und göttlich bin ich selbst!« – Und sie berührte
Mein Augenlid, und als ich aufwärts sah,
Da war der Himmel voll von Engelknaben,
Die trugen weiße Lilien in der Hand,
Und süßer Ton verschwebte in den Lüften.
– Und so drei Nächte nacheinander ließ
Die Heilige sich sehn und rief: »Steh auf, Johanna!
Dich ruft der Herr zu einem anderen Geschäft.«
Und als sie in der dritten Nacht erschien,          1100
Da zürnte sie, und scheltend sprach sie dieses Wort:
»Gehorsam ist des Weibes Pflicht auf Erden,
Das harte Dulden ist ihr schweres Los,
Durch strengen Dienst muß sie geläutert werden,
Die hier gedient, ist dort oben groß.«
Und also sprechend ließ sie das Gewand
Der Hirtin fallen, und als Königin
Der Himmel stand sie da im Glanz der Sonnen,
Und goldne Wolken trugen sie hinauf,
Langsam verschwindend, in das Land der Wonnen.          1110
*(Alle sind gerührt, Agnes Sorel heftig weinend verbirgt ihr*
*Gesicht an des Königs Brust.)*

Erzbischof *(nach einem langen Stillschweigen).*
Vor solcher göttlicher Beglaubigung
Muß jeder Zweifel ird'scher Klugheit schweigen.
Die Tat bewährt es, daß sie Wahrheit spricht:
Nur Gott allein kann solche Wunder wirken.
Dunois. Nicht ihren Wundern, ihrem Auge glaub ich,
Der reinen Unschuld ihres Angesichts.
Karl. Und bin ich Sünd'ger solcher Gnade wert!
Untrüglich allerforschend Aug', du siehst
Mein Innerstes und kennest meine Demut!
Johanna. Der Hohen Demut leuchtet hell dort oben:
Du beugtest dich, drum hat er dich erhoben.                    1121
Karl. So werd ich meinen Feinden widerstehn?
Johanna. Bezwungen leg ich Frankreich dir zu Füßen!
Karl. Und Orleans, sagst du, wird nicht übergehn?
Johanna. Eh' siehest du die Loire zurücke fließen.
Karl. Werd ich nach Reims als Überwinder ziehn?
Johanna. Durch tausend Feinde führ ich dich dahin.
*(Alle anwesende Ritter erregen ein Getöse mit ihren Lanzen*
*und Schilden und geben Zeichen des Muts.)*
Dunois. Stell uns die Jungfrau an des Heeres Spitze,
Wir folgen blind, wohin die Göttliche
Uns führt! Ihr Seherauge soll uns leiten,                      1130
Und schützen soll sie dieses tapfre Schwert!
La Hire. Nicht eine Welt in Waffen fürchten wir,
Wenn sie einher vor unsern Scharen zieht.
Der Gott des Sieges wandelt ihr zur Seite,
Sie führ' uns an, die Mächtige, im Streite!
*(Die Ritter erregen ein großes Waffengetös und treten vor-*
*wärts.)*
Karl. Ja, heilig Mädchen, führe du mein Heer,
Und seine Fürsten sollen dir gehorchen.
Dies Schwert der höchsten Kriegsgewalt, das uns
Der Kronfeldherr im Zorn zurückgesendet,
Hat eine würdigere Hand gefunden.                              1140
Empfange du es, heilige Prophetin,
Und sei fortan –
Johanna.          Nicht also, edler Dauphin!
Nicht durch dies Werkzeug irdischer Gewalt
Ist meinem Herrn der Sieg verliehn. Ich weiß

Ein ander Schwert, durch das ich siegen werde.
Ich will es dir bezeichnen, wie's der Geist
Mich lehrte; sende hin und laß es holen.
K a r l.  Nenn es, Johanna.
J o h a n n a.                Sende nach der alten Stadt
 Fierboys, dort, auf Sankt Kathrinens Kirchhof,
 Ist ein Gewölb, wo vieles Eisen liegt,                1150
 Von alter Siegesbeute aufgehäuft.
 Das Schwert ist drunter, das mir dienen soll.
 An dreien goldnen Lilien ist's zu kennen,
 Die auf der Klinge eingeschlagen sind:
 Dies Schwert laß holen, denn durch dieses wirst du siegen.
K a r l.  Man sende hin und tue, wie sie sagt.
J o h a n n a.  Und eine weiße Fahne laß mich tragen,
 Mit einem Saum von Purpur eingefaßt.
 Auf dieser Fahne sei die Himmelskönigin
 Zu sehen mit dem schönen Jesusknaben,                1160
 Die über einer Erdenkugel schwebt,
 Denn also zeigte mir's die heil'ge Mutter.
K a r l.  Es sei so, wie du sagst.
J o h a n n a *(zum Erzbischof).*  Ehrwürd'ger Bischof,
 Legt Eure priesterliche Hand auf mich
 Und sprecht den Segen über Eure Tochter!
 *(Kniet nieder.)*
E r z b i s c h o f.  Du bist gekommen, Segen auszuteilen,
 Nicht zu empfangen – Geh mit Gottes Kraft!
 Wir aber sind Unwürdige und Sünder!
     *(Sie steht auf.)*
E d e l k n e c h t.
 Ein Herold kommt vom engelländ'schen Feldherrn.
J o h a n n a.  Laß ihn eintreten, denn ihn sendet Gott!  1170
 *(Der König winkt dem Edelknecht, der hinausgeht.)*


### ELFTER AUFTRITT

*Der Herold zu den Vorigen.*

K a r l.  Was bringst du, Herold? Sage deinen Auftrag.
H e r o l d.  Wer ist es, der für Karln von Valois,
 Den Grafen von Ponthieu, das Wort hier führt?

D u n o i s.  Nichtswürd'ger Herold! Niederträcht'ger Bube!
   Erfrechst du dich, den König der Franzosen
   Auf seinem eignen Boden zu verleugnen?
   Dich schützt dein Wappenrock, sonst solltest du –
H e r o l d.  Frankreich erkennt nur einen einz'gen König,
   Und dieser lebt im engelländischen Lager.
K a r l.  Seid ruhig, Vetter! Deinen Auftrag, Herold!  1180
H e r o l d.  Mein edler Feldherr, den des Blutes jammert,
   Das schon geflossen und noch fließen soll,
   Hält seiner Krieger Schwert noch in der Scheide,
   Und ehe Orleans im Sturme fällt,
   Läßt er noch gütlichen Vergleich dir bieten.
K a r l.  Laß hören!
J o h a n n a *(tritt hervor).*
               Sire! Laß mich an deiner Statt
   Mit diesem Herold reden.
K a r l.             Tu das, Mädchen!
   Entscheide du, ob Krieg sei oder Friede.
J o h a n n a *(zum Herold).*
   Wer sendet dich und spricht durch deinen Mund?
H e r o l d.  Der Briten Feldherr, Graf von Salisbury.  1190
J o h a n n a.
   Herold, du lügst! Der Lord spricht nicht durch dich.
   Nur die Lebend'gen sprechen, nicht die Toten.
H e r o l d.  Mein Feldherr lebt in Fülle der Gesundheit
   Und Kraft, und lebt euch allen zum Verderben.
J o h a n n a.  Er lebte, da du abgingst. Diesen Morgen
   Streckt' ihn ein Schuß aus Orleans zu Boden,
   Als er vom Turm La Tournelle niedersah.
   – Du lachst, weil ich Entferntes dir verkünde?
   Nicht meiner Rede, deinen Augen glaube!
   Begegnen wird dir seiner Leiche Zug,         1200
   Wenn deine Füße dich zurücke tragen!
   Jetzt, Herold, sprich und sage deinen Auftrag.
H e r o l d.  Wenn du Verborgnes zu enthüllen weißt,
   So kennst du ihn, noch eh' ich dir ihn sage.
J o h a n n a.  Ich brauch ihn nicht zu wissen, aber du
   Vernimm den meinen jetzt! und diese Worte
   Verkündige den Fürsten, die dich sandten!
   – König von England und ihr, Herzoge

Bedford und Gloster, die das Reich verwesen!
Gebt Rechenschaft dem Könige des Himmels          1210
Von wegen des vergoßnen Blutes! Gebt
Heraus die Schlüssel alle von den Städten,
Die ihr bezwungen wider göttlich Recht!
Die Jungfrau kommt vom Könige des Himmels,
Euch Frieden zu bieten oder blut'gen Krieg.
Wählt! Denn das sag ich euch, damit ihr's wisset:
Euch ist das schöne Frankreich nicht beschieden
Vom Sohne der Maria – sondern Karl,
Mein Herr und Dauphin, dem es Gott gegeben,
Wird königlich einziehen zu Paris,          1220
Von allen Großen seines Reichs begleitet.
– Jetzt, Herold, geh und mach dich eilends fort,
Denn eh' du noch das Lager magst erreichen
Und Botschaft bringen, ist die Jungfrau dort
Und pflanzt in Orleans das Siegeszeichen.

*(Sie geht, alles setzt sich in Bewegung, der Vorhang fällt.)*

# ZWEITER AUFZUG

*Gegend von Felsen begrenzt.*

### ERSTER AUFTRITT

*Talbot und Lionel, englische Heerführer. Philipp Herzog von Burgund. Ritter Fastolf und Chatillon mit Soldaten und Fahnen.*

T a l b o t. Hier unter diesen Felsen lasset uns
  Haltmachen und ein festes Lager schlagen,
  Ob wir vielleicht die flücht'gen Völker wieder sammeln,
  Die in dem ersten Schrecken sich zerstreut.
  Stellt gute Wachen aus, besetzt die Höhn!         1230
  Zwar sichert uns die Nacht vor der Verfolgung,
  Und wenn der Gegner nicht auch Flügel hat,
  So fürcht ich keinen Überfall. – Dennoch
  Bedarf's der Vorsicht, denn wir haben es
  Mit einem kecken Feind und sind geschlagen.
     *(Ritter Fastolf geht ab mit den Soldaten.)*
L i o n e l. Geschlagen! Feldherr, nennt das Wort nicht mehr.
  Ich darf es mir nicht denken, daß der Franke
  Des Engelländers Rücken heut gesehn.
  – O Orleans! Orleans! Grab unsers Ruhms!
  Auf deinen Feldern liegt die Ehre Englands.       1240
  Beschimpfend lächerliche Niederlage!
  Wer wird es glauben in der künft'gen Zeit!
  Die Sieger bei Poitiers, Crequi
  Und Azincourt gejagt von einem Weibe!
B u r g u n d.
  Das muß uns trösten: wir sind nicht von Menschen
  Besiegt, wir sind vom Teufel überwunden.
T a l b o t. Vom Teufel unsrer Narrheit – Wie, Burgund?
  Schreckt dies Gespenst des Pöbels auch die Fürsten?
  Der Aberglaube ist ein schlechter Mantel
  Für Eure Feigheit – Eure Völker flohn zuerst.      1250

B u r g u n d.
   Niemand hielt stand. Das Fliehn war allgemein.
T a l b o t. Nein, Herr! Auf Eurem Flügel fing es an.
   Ihr stürztet Euch in unser Lager, schreiend:
   »Die Höll' ist los, der Satan kämpft für Frankreich!«
   Und brachtet so die Unsern in Verwirrung.
L i o n e l. Ihr könnt's nicht leugnen. Euer Flügel wich
   Zuerst.
B u r g u n d.
         Weil dort der erste Angriff war.
T a l b o t. Das Mädchen kannte unsers Lagers Blöße,
   Sie wußte, wo die Furcht zu finden war.
B u r g u n d.
   Wie? Soll Burgund die Schuld des Unglücks tragen?        1260
L i o n e l. Wir Engelländer, waren wir allein,
   Bei Gott! wir hätten Orleans nicht verloren!
B u r g u n d. Nein – denn ihr hättet Orleans nie gesehn!
   Wer bahnte euch den Weg in dieses Reich,
   Reicht' euch die treue Freundeshand, als ihr
   An diese feindlich fremde Küste stieget?
   Wer krönte euren Heinrich zu Paris
   Und unterwarf ihm der Franzosen Herzen?
   Bei Gott! Wenn dieser starke Arm euch nicht
   Hereingeführt, ihr sahet nie den Rauch        1270
   Von einem fränkischen Kamine steigen.
L i o n e l. Wenn es die großen Worte täten, Herzog,
   So hättet Ihr allein Frankreich erobert.
B u r g u n d. Ihr seid unlustig, weil euch Orleans
   Entging, und laßt nun eures Zornes Galle
   An mir, dem Bundsfreund, aus. Warum entging
   Uns Orleans als eurer Habsucht wegen?
   Es war bereit, sich mir zu übergeben –
   Ihr, euer Neid allein hat es verhindert.
T a l b o t. Nicht Eurentwegen haben wir's belagert.        1280
B u r g u n d.
   Wie stünd's um euch, zög' ich mein Heer zurück?
L i o n e l. Nicht schlimmer, glaubt mir, als bei Azincourt,
   Wo wir mit Euch und mit ganz Frankreich fertig wurden.
B u r g u n d. Doch tat's euch sehr um unsre Freundschaft not,
   Und teuer kaufte sie der Reichsverweser.

T a l b o t.  Ja, teuer, teuer haben wir sie heut
    Vor Orleans bezahlt mit unsrer Ehre.
B u r g u n d.
    Treibt es nicht weiter, Lord, es könnt' Euch reuen!
    Verließ ich meines Herrn gerechte Fahnen,
    Lud auf mein Haupt den Namen des Verräters,          1290
    Um von dem Fremdling solches zu ertragen?
    Was tu ich hier und fechte gegen Frankreich?
    Wenn ich dem Undankbaren dienen soll,
    So will ich's meinem angebornen König.
T a l b o t.
    Ihr steht in Unterhandlung mit dem Dauphin,
    Wir wissen's; doch wir werden Mittel finden,
    Uns vor Verrat zu schützen.
B u r g u n d.             Tod und Hölle!
    Begegnet man mir so? – Chatillon!
    Laß meine Völker sich zum Aufbruch rüsten,
    Wir gehn in unser Land zurück.
          *(Chatillon geht ab.)*
L i o n e l.          Glück auf den Weg!          1300
    Nie war der Ruhm des Briten glänzender,
    Als da er, seinem guten Schwert allein
    Vertrauend, ohne Helfershelfer focht.
    Es kämpfe jeder seine Schlacht allein,
    Denn ewig bleibt es wahr: französisch Blut
    Und englisch kann sich redlich nie vermischen!


ZWEITER AUFTRITT

*Königin Isabeau, von einem Pagen begleitet, zu den Vorigen.*

I s a b e a u.  Was muß ich hören, Feldherrn! Haltet ein!
    Was für ein hirnverrückender Planet
    Verwirrt Euch also die gesunden Sinne?
    Jetzt, da Euch Eintracht nur erhalten kann,          1310
    Wollt Ihr in Haß Euch trennen und Euch selbst
    Befehdend Euren Untergang bereiten?
    – Ich bitt Euch, edler Herzog. Ruft den raschen
    Befehl zurück. – Und Ihr, ruhmvoller Talbot,
    Besänftiget den aufgebrachten Freund!

Kommt, Lionel, helft mir die stolzen Geister
Zufrieden sprechen und Versöhnung stiften.
L i o n e l.  Ich nicht, Mylady. Mir ist alles gleich.
    Ich denke so: was nicht zusammen kann
    Bestehen, tut am besten, sich zu lösen.                1320
I s a b e a u.  Wie? Wirkt der Hölle Gaukelkunst, die uns
    Im Treffen so verderblich war, auch hier
    Noch fort, uns sinnverwirrend zu betören?
    Wer fing den Zank an? Redet! – Edler Lord!
    *(Zu Talbot.)* Seid Ihr's, der seines Vorteils so vergaß,
    Den werten Bundsgenossen zu verletzen?
    Was wollt Ihr schaffen ohne diesen Arm?
    Er baute Eurem König seinen Thron,
    Er hält ihn noch und stürzt ihn, wenn er will;
    Sein Heer verstärkt Euch und noch mehr sein Name.  1330
    Ganz England, strömt' es alle seine Bürger
    Auf unsre Küsten aus, vermöchte nicht
    Dies Reich zu zwingen, wenn es einig ist:
    Nur Frankreich konnte Frankreich überwinden.
T a l b o t.  Wir wissen den getreuen Freund zu ehren.
    Dem falschen wehren ist der Klugheit Pflicht.
B u r g u n d.  Wer treulos sich des Dankes will entschlagen,
    Dem fehlt des Lügners freche Stirne nicht.
I s a b e a u.  Wie, edler Herzog? Könntet Ihr so sehr
    Der Scham absagen und der Fürstenehre,                1340
    In jene Hand, die Euren Vater mordete,
    Die Eurige zu legen? Wärt Ihr rasend
    Genug, an eine redliche Versöhnung
    Zu glauben mit dem Dauphin, den Ihr selbst
    An des Verderbens Rand geschleudert habt?
    So nah dem Falle wolltet Ihr ihn halten
    Und Euer Werk wahnsinnig selbst zerstören?
    *Hier* stehen Eure Freunde. Euer Heil
    Ruht in dem festen Bunde nur mit England.
B u r g u n d.
    Fern ist mein Sinn vom Frieden mit dem Dauphin,      1350
    Doch die Verachtung und den Übermut
    Des stolzen Englands kann ich nicht ertragen.
I s a b e a u.  Kommt! Haltet ihm ein rasches Wort zugut.
    Schwer ist der Kummer, der den Feldherrn drückt,

Und ungerecht, Ihr wißt es, macht das Unglück.
Kommt! Kommt! Umarmt Euch, laßt mich diesen Riß
    Schnell heilend schließen, eh' er ewig wird.
T a l b o t. Was dünket Euch, Burgund? Ein edles Herz
    Bekennt sich gern von der Vernunft besiegt.
    Die Königin hat ein kluges Wort geredet;        1360
    Laßt diesen Händedruck die Wunde heilen,
    Die meine Zunge übereilend schlug.
B u r g u n d. Madame sprach ein verständig Wort, und mein
    Gerechter Zorn weicht der Notwendigkeit.
I s a b e a u. Wohl! So besiegelt den erneuten Bund
    Mit einem brüderlichen Kuß, und mögen
    Die Winde das Gesprochene verwehen.
          *(Burgund und Talbot umarmen sich.)*
L i o n e l *(betrachtet die Gruppe, für sich).*
    Glück zu dem Frieden, den die Furie stiftet!
I s a b e a u. Wir haben eine Schlacht verloren, Feldherrn,
    Das Glück war uns zuwider; darum aber        1370
    Entsink' Euch nicht der edle Mut. Der Dauphin
    Verzweifelt an des Himmels Schutz und ruft
    Des Satans Kunst zu Hilfe; doch er habe
    Umsonst sich der Verdammnis übergeben,
    Und seine Hölle selbst errett' ihn nicht.
    Ein sieghaft Mädchen führt des Feindes Heer,
    Ich will das Eure führen, *ich* will Euch
    Statt einer Jungfrau und Prophetin sein.
L i o n e l. Madame, geht nach Paris zurück. Wir wollen
    Mit guten Waffen, nicht mit Weibern siegen.    1380
T a l b o t. Geht! Geht! Seit Ihr im Lager seid, geht alles
    Zurück, kein Segen ist mehr in unsern Waffen.
B u r g u n d.
    Geht! Eure Gegenwart schafft hier nichts Gutes,
    Der Krieger nimmt ein Ärgernis an Euch.
I s a b e a u *(sieht einen um den andern erstaunt an).*
    Ihr auch, Burgund? Ihr nehmet wider mich
    Partei mit diesen undankbaren Lords?
B u r g u n d. Geht! Der Soldat verliert den guten Mut,
    Wenn er für Eure Sache glaubt zu fechten.
I s a b e a u. Ich hab kaum Frieden zwischen Euch gestiftet,
    So macht Ihr schon ein Bündnis wider mich?    1390

**T a l b o t.** Geht, geht mit Gott, Madame. Wir fürchten uns
   Vor keinem Teufel mehr, sobald Ihr weg seid.
**I s a b e a u.** Bin ich nicht Eure treue Bundsgenossin?
   Ist Eure Sache nicht die meinige?
**T a l b o t.** Doch Eure nicht die unsrige. Wir sind
   In einem ehrlich guten Streit begriffen.
**B u r g u n d.** Ich räche eines Vaters blut'gen Mord,
   Die fromme Sohnspflicht heiligt meine Waffen.
**T a l b o t.** Doch gradheraus! Was Ihr am Dauphin tut,
   Ist weder menschlich gut, noch göttlich recht.          1400
**I s a b e a u.** Fluch soll ihn treffen bis ins zehnte Glied!
   Er hat gefrevelt an dem Haupt der Mutter.
**B u r g u n d.** Er rächte einen Vater und Gemahl.
**I s a b e a u.** Er warf sich auf zum Richter meiner Sitten!
**L i o n e l.** Das war unehrerbietig von dem Sohn!
**I s a b e a u.** In die Verbannung hat er mich geschickt.
**T a l b o t.** Die öffentliche Stimme zu vollziehn.
**I s a b e a u.** Fluch treffe mich, wenn ich ihm je vergebe!
   Und eh' er herrscht in seines Vaters Reich –
**T a l b o t.** Eh' opfert Ihr die Ehre seiner Mutter!          1410
**I s a b e a u.** Ihr wißt nicht, schwache Seelen,
   Was ein beleidigt Mutterherz vermag.
   Ich liebe, wer mir Gutes tut, und hasse,
   Wer mich verletzt – und ist's der eigne Sohn,
   Den ich geboren, desto hassenswerter.
   Dem ich das Dasein gab, will ich es rauben,
   Wenn er mit ruchlos frechem Übermut
   Den eignen Schoß verletzt, der ihn getragen.
   Ihr, die Ihr Krieg führt gegen meinen Sohn,
   Ihr habt nicht Recht noch Grund, ihn zu berauben.          1420
   Was hat der Dauphin Schweres gegen Euch
   Verschuldet? Welche Pflichten brach er Euch?
   Euch treibt die Ehrsucht, der gemeine Neid –
   Ich darf ihn hassen, ich hab ihn geboren.
**T a l b o t.** Wohl, an der Rache fühlt er seine Mutter!
**I s a b e a u.** Armsel'ge Gleisner, wie veracht ich Euch,
   Die Ihr Euch selbst so wie die Welt belügt!
   Ihr Engelländer streckt die Räuberhände
   Nach diesem Frankreich aus, wo Ihr nicht Recht
   Noch gült'gen Anspruch habt auf so viel Erde,          1430

Als eines Pferdes Huf bedeckt. – Und dieser Herzog,
Der sich den *Guten* schelten läßt, verkauft
Sein Vaterland, das Erbreich seiner Ahnen,
Dem Reichsfeind und dem fremden Herrn. – Gleichwohl
Ist Euch das dritte Wort Gerechtigkeit.
– Die Heuchelei veracht ich. Wie ich bin,
So sehe mich das Aug' der Welt.

Burgund.                         Wahr ist's!
   Den Ruhm habt Ihr mit starkem Geist behauptet.

Isabeau. Ich habe Leidenschaften, warmes Blut
Wie eine andre, und ich kam als Königin                    1440
In dieses Land, zu leben, nicht zu scheinen.
Sollt' ich der Freud' absterben, weil der Fluch
Des Schicksals meine lebensfrohe Jugend
Zu dem wahnsinn'gen Gatten hat gesellt?
Mehr als das Leben lieb ich meine Freiheit,
Und wer mich hier verwundet – Doch warum
Mit Euch mich streiten über meine Rechte?
Schwer fließt das dicke Blut in Euren Adern,
Ihr kennt nicht das Vergnügen, nur die Wut!
Und dieser Herzog, der sein Leben lang                     1450
Geschwankt hat zwischen Bös' und Gut, kann nicht
Von Herzen hassen noch von Herzen lieben.
– Ich geh nach Melun. Gebt mir diesen da,
   *(auf Lionel zeigend)*
Der mir gefällt, zur Kurzweil und Gesellschaft,
Und dann macht, was Ihr wollt! Ich frage nichts
Nach den Burgundern noch den Engelländern.
   *(Sie winkt ihrem Pagen und will gehen.)*

Lionel.
Verlaßt Euch drauf. Die schönsten Frankenknaben,
Die wir erbeuten, schicken wir nach Melun.

Isabeau *(zurückkommend)*.
Wohl taugt Ihr, mit dem Schwerte dreinzuschlagen,
Der Franke nur weiß Zierliches zu sagen.                   1460
   *(Sie geht ab.)*

DRITTER AUFTRITT

*Talbot. Burgund. Lionel.*

T a l b o t. Was für ein Weib!
L i o n e l.                              Nun Eure Meinung, Feldherrn!
   Fliehn wir noch weiter oder wenden uns
   Zurück, durch einen schnellen kühnen Streich
   Den Schimpf des heut'gen Tages auszulöschen?
B u r g u n d. Wir sind zu schwach, die Völker sind zerstreut,
   Zu neu ist noch der Schrecken in dem Heer.
T a l b o t. Ein blinder Schrecken nur hat uns besiegt,
   Der schnelle Eindruck eines Augenblicks.
   Dies Furchtbild der erschreckten Einbildung
   Wird, näher angesehn, in nichts verschwinden.        1470
   Drum ist mein Rat, wir führen die Armee
   Mit Tagesanbruch über den Strom zurück,
   Dem Feind entgegen.
B u r g u n d.                    Überlegt –
L i o n e l.                                   Mit Eurer
   Erlaubnis. Hier ist nichts zu überlegen.
   Wir müssen das Verlorne schleunig wieder-
   Gewinnen, oder sind beschimpft auf ewig.
T a l b o t. Es ist beschlossen. Morgen schlagen wir.
   Und dies Phantom des Schreckens zu zerstören,
   Das unsre Völker blendet und entmannt,
   Laßt uns mit diesem jungfräulichen Teufel        1480
   Uns messen in persönlichem Gefecht.
   Stellt sie sich unserm tapfern Schwert, nun dann,
   So hat sie uns zum letztenmal geschadet;
   Stellt sie sich nicht – und seid gewiß, sie meidet
   Den ernsten Kampf – so ist das Heer entzaubert.
L i o n e l. So sei's! Und *mir*, mein Feldherr, überlasset
   Dies leichte Kampfspiel, wo kein Blut soll fließen.
   Denn lebend denk ich das Gespenst zu fangen,
   Und vor des Bastards Augen, ihres Buhlen,
   Trag ich auf diesen Armen sie herüber        1490
   Zur Lust des Heers, in das britann'sche Lager.
B u r g u n d. Versprechet nicht zuviel.
T a l b o t.                              Erreich *ich* sie,
   Ich denke sie so sanft nicht zu umarmen.

Kommt jetzo, die ermüdete Natur
Durch einen leichten Schlummer zu erquicken,
Und dann zum Aufbruch mit der Morgenröte.
                    *(Sie gehen ab.)*


### VIERTER AUFTRITT

*Johanna mit der Fahne, im Helm und Brustharnisch, sonst
aber weiblich gekleidet, Dunois, La Hire, Ritter und Soldaten zeigen sich oben auf dem Felsenweg, ziehen still darüber
hinweg und erscheinen gleich darauf auf der Szene.*

J o h a n n a *(zu den Rittern, die sie umgeben, indem der
        Zug oben immer noch fortwährt).*
Erstiegen ist der Wall, wir sind im Lager!
Jetzt werft die Hülle der verschwiegnen Nacht
Von euch, die euren stillen Zug verhehlte,
Und macht dem Feinde eure Schreckensnähe            1500
Durch lauten Schlachtruf kund – Gott und die Jungfrau!
A l l e *(rufen laut unter wildem Waffengetös).*
Gott und die Jungfrau!
                    *(Trommeln und Trompeten.)*
S c h i l d w a c h e *(hinter der Szene).*
                    Feinde! Feinde! Feinde!
J o h a n n a.
Jetzt Fackeln her! Werft Feuer in die Zelte!
Der Flammen Wut vermehre das Entsetzen,
Und drohend rings umfange sie der Tod!
        *(Soldaten eilen fort, sie will folgen.)*
D u n o i s *(hält sie zurück).*
Du hast das Deine nun erfüllt, Johanna!
Mitten ins Lager hast du uns geführt,
Den Feind hast du in unsre Hand gegeben.
Jetzt aber bleibe von dem Kampf zurück,
Uns überlaß die blutige Entscheidung.               1510
L a  H i r e. Den Weg des Siegs bezeichne du dem Heer,
Die Fahne trag uns vor in reiner Hand,
Doch nimm das Schwert, das tödliche, nicht selbst,
Versuche nicht den falschen Gott der Schlachten,
Denn blind und ohne Schonung waltet er.

**J o h a n n a.** Wer darf mir Halt gebieten? Wer dem Geist
   Vorschreiben, der mich führt? Der Pfeil muß fliegen,
   Wohin die Hand ihn seines Schützen treibt.
   Wo die Gefahr ist, muß Johanna sein,
   Nicht *heut*, nicht *hier* ist mir bestimmt zu fallen:     1520
   Die Krone muß ich sehn auf meines Königs Haupt –
   Dies Leben wird kein Gegner mir entreißen,
   Bis ich vollendet, was mir Gott geheißen. *(Sie geht ab.)*
**L a H i r e.** Kommt, Dunois! Laßt uns der Heldin folgen
   Und ihr die tapfre Brust zum Schilde leihn!
          *(Gehen ab.)*


### FÜNFTER AUFTRITT

*Englische Soldaten fliehen über die Bühne. Hierauf Talbot.*

**E r s t e r.** Das Mädchen! Mitten im Lager!
**Z w e i t e r.**
   Nicht möglich! Nimmermehr! Wie kam sie in das Lager?
**D r i t t e r.** Durch die Luft! Der Teufel hilft ihr!
**V i e r t e r** und **F ü n f t e r.**
   Flieht! Flieht! Wir sind alle des Todes!
          *(Gehen ab.)*

**T a l b o t** *(kommt).*
   Sie hören nicht – Sie wollen mir nicht stehn!     1530
   Gelöst sind alle Bande des Gehorsams,
   Als ob die Hölle ihre Legionen
   Verdammter Geister ausgespieen, reißt
   Ein Taumelwahn den Tapfern und den Feigen
   Gehirnlos fort; nicht eine kleine Schar
   Kann ich der Feinde Flut entgegenstellen,
   Die wachsend, wogend in das Lager dringt!
   – Bin ich der einzig Nüchterne, und alles
   Muß um mich her in Fiebers Hitze rasen?
   Vor diesen fränk'schen Weichlingen zu fliehn,     1540
   Die wir in zwanzig Schlachten überwunden! –
   Wer ist sie denn, die Unbezwingliche,
   Die Schreckensgöttin, die der Schlachten Glück
   Auf einmal wendet und ein schüchtern Heer
   Von feigen Rehn in Löwen umgewandelt?

Eine Gauklerin, die die gelernte Rolle
Der Heldin spielt, soll wahre Helden schrecken?
Ein Weib entriß mir allen Siegesruhm?
S o l d a t *(stürzt herein).*
  Das Mädchen! Flieh! Flieh, Feldherr!
T a l b o t *(stößt ihn nieder).*          Flieh zur Hölle
  Du selbst! Den soll dies Schwert durchbohren,          1550
  Der mir von Furcht spricht und von feiger Flucht!
  *(Er geht ab.)*


SECHSTER AUFTRITT

*Der Prospekt öffnet sich. Man sieht das englische Lager in*
*vollen Flammen stehen. Trommeln, Flucht und Verfolgung.*
      *Nach einer Weile kommt Montgomery.*

M o n t g o m e r y *(allein).*
  Wo soll ich hinfliehn? Feinde ringsumher und Tod!
  Hier der ergrimmte Feldherr, der mit drohndem Schwert
  Die Flucht versperrend uns dem Tod entgegentreibt.
  Dort die Fürchterliche, die verderblich um sich her
  Wie die Brunst des Feuers raset – Und ringsum kein
                                          Busch,
  Der mich verbärge, keiner Höhle sicher Raum!
  O wär' ich nimmer über Meer hieher geschifft,
  Ich Unglücksel'ger! Eitler Wahn betörte mich,
  Wohlfeilen Ruhm zu suchen in dem Frankenkrieg,          1560
  Und jetzo führt mich das verderbliche Geschick
  In diese blut'ge Mordschlacht. – Wär' ich weit von hier
  Daheim noch an der Savern' blühendem Gestad',
  Im sichern Vaterhause, wo die Mutter mir
  In Gram zurückblieb und die zarte süße Braut.
          *(Johanna zeigt sich in der Ferne.)*
  Weh mir! Was seh ich! Dort erscheint die Schreckliche!
  Aus Brandes Flammen, düster leuchtend, hebt sie sich,
  Wie aus der Hölle Rachen ein Gespenst der Nacht,
  Hervor. – Wohin entrinn ich! Schon ergreift sie mich
  Mit ihren Feueraugen, wirft von fern          1570
  Der Blicke Schlingen nimmer fehlend nach mir aus.
  Um meine Füße, fest und fester, wirret sich
  Das Zauberknäul, daß sie gefesselt mir die Flucht

Versagen! Hinsehn muß ich, wie das Herz mir auch
Dagegen kämpfe, nach der tödlichen Gestalt!
*(Johanna tut einige Schritte ihm entgegen und bleibt wie-*
*der stehen.)*
Sie naht! Ich will nicht warten, bis die Grimmige
Zuerst mich anfällt! Bittend will ich ihre Knie
Umfassen, um mein Leben flehn, sie ist ein Weib,
Ob ich vielleicht durch Tränen sie erweichen kann!
*(Indem er auf sie zugehen will, tritt sie ihm rasch entgegen.)*


SIEBENTER AUFTRITT

*Johanna. Montgomery.*

J o h a n n a.
  Du bist des Todes! Eine brit'sche Mutter zeugte dich.  1580
M o n t g o m e r y *(fällt ihr zu Füßen).*
  Halt ein, Furchtbare! Nicht den Unverteidigten
  Durchbohre. Weggeworfen hab ich Schwert und Schild,
  Zu deinen Füßen sink ich wehrlos, flehend hin.
  Laß mir das Licht des Lebens, nimm ein Lösegeld.
  Reich an Besitztum wohnt der Vater mir daheim
  Im schönen Lande Wallis, wo die schlängelnde
  Savern' durch grüne Auen rollt den Silberstrom,
  Und funfzig Dörfer kennen seine Herrschaft an.
  Mit reichem Golde löst er den geliebten Sohn,
  Wenn er mich im Frankenlager lebend noch vernimmt. 1590
J o h a n n a.
  Betrogner Tor! Verlorner! In der Jungfrau Hand
  Bist du gefallen, die verderbliche, woraus
  Nicht Rettung noch Erlösung mehr zu hoffen ist.
  Wenn dich das Unglück in des Krokodils Gewalt
  Gegeben oder des gefleckten Tigers Klaun,
  Wenn du der Löwenmutter junge Brut geraubt,
  Du könntest Mitleid finden und Barmherzigkeit –
  Doch tödlich ist's, der Jungfrau zu begegnen.
  Denn dem Geisterreich, dem strengen, unverletzlichen,
  Verpflichtet mich der furchtbar bindende Vertrag,      1600
  Mit dem Schwert zu töten alles Lebende, das mir
  Der Schlachten Gott verhängnisvoll entgegenschickt.

**Montgomery.**
Furchtbar ist deine Rede, doch dein Blick ist sanft,
Nicht schrecklich bist du in der Nähe anzuschaun,
Es zieht das Herz mich zu der lieblichen Gestalt.
O bei der Milde deines zärtlichen Geschlechts
Fleh ich dich an: Erbarme meiner Jugend dich!

**Johanna.**
Nicht mein Geschlecht beschwöre! Nenne mich nicht Weib.
Gleichwie die körperlosen Geister, die nicht frein          1609
Auf ird'sche Weise, schließ ich mich an kein Geschlecht
Der Menschen an, und dieser Panzer deckt kein Herz.

**Montgomery.** O bei der Liebe heilig waltendem Gesetz,
Dem alle Herzen huldigen, beschwör ich dich.
Daheim gelassen hab ich eine holde Braut,
Schön, wie du selbst bist, blühend in der Jugend Reiz.
Sie harret weinend des Geliebten Wiederkunft.
O wenn du selber je zu lieben hoffst, und hoffst
Beglückt zu sein durch Liebe! Trenne grausam nicht
Zwei Herzen, die der Liebe heilig Bündnis knüpft!

**Johanna.** Du rufest lauter irdisch fremde Götter an, 1620
Die mir nicht heilig noch verehrlich sind. Ich weiß
Nichts von der Liebe Bündnis, das du mir beschwörst,
Und nimmer kennen werd ich ihren eiteln Dienst.
Verteidige dein Leben, denn dir ruft der Tod.

**Montgomery.**
O so erbarme meiner jammervollen Eltern dich,
Die ich zu Haus verlassen. Ja, gewiß auch du
Verließest Eltern, die die Sorge quält um dich.

**Johanna.** Unglücklicher! Und du erinnerst mich daran,
Wie viele Mütter dieses Landes kinderlos,
Wie viele zarte Kinder vaterlos, wieviel          1630
Verlobte Bräute Witwen worden sind durch euch!
Auch Englands Mütter mögen die Verzweiflung nun
Erfahren und die Tränen kennenlernen,
Die Frankreichs jammervolle Gattinnen geweint.

**Montgomery.**
O schwer ist's, in der Fremde sterben unbeweint.

**Johanna.**
Wer rief euch in das fremde Land, den blühnden Fleiß
Der Felder zu verwüsten, von dem heim'schen Herd

Uns zu verjagen und des Krieges Feuerbrand
Zu werfen in der Städte friedlich Heiligtum?
Ihr träumtet schon in eures Herzens eitelm Wahn,     1640
Den freigebornen Franken in der Knechtschaft Schmach
Zu stürzen und dies große Land, gleichwie ein Boot,
An euer stolzes Meerschiff zu befestigen!
Ihr Toren! Frankreichs königliches Wappen hängt
Am Throne Gottes; eher rißt ihr einen Stern
Vom Himmelwagen als ein Dorf aus diesem Reich,
Dem unzertrennlich ewig einigen! – Der Tag
Der Rache ist gekommen; nicht lebendig mehr
Zurücke messen werdet ihr das heil'ge Meer,
Das Gott zur Länderscheide zwischen euch und uns     1650
Gesetzt und das ihr frevelnd überschritten habt.

M o n t g o m e r y  *(läßt ihre Hand los).*
     O ich muß sterben! Grausend faßt mich schon der Tod.

J o h a n n a.
     Stirb, Freund! Warum so zaghaft zittern vor dem Tod,
Dem unentfliehbaren Geschick? – Sieh *mich* an! Sieh!
Ich bin nur eine Jungfrau, eine Schäferin
Geboren; nicht des Schwerts gewohnt ist diese Hand,
Die den unschuldig frommen Hirtenstab geführt.
Doch weggerissen von der heimatlichen Flur,
Vom Vaters Busen, von der Schwestern lieber Brust,
Muß ich *hier*, ich *muß* – mich treibt die Götterstimme,
                                        nicht     1660
Eignes Gelüsten – *euch* zu bitterm Harm, *mir* nicht
Zur Freude, ein Gespenst des Schreckens, würgend gehn,
Den Tod verbreiten und sein Opfer sein zuletzt!
Denn nicht den Tag der frohen Heimkehr werd ich sehn:
Noch vielen von den Euren werd ich tödlich sein,
Noch viele Witwen machen, aber endlich werd
Ich selbst umkommen und erfüllen mein Geschick.
– Erfülle du auch deines. Greife frisch zum Schwert,
Und um des Lebens süße Beute kämpfen wir.

M o n t g o m e r y  *(steht auf).*
     Nun, wenn du sterblich bist wie ich und Waffen dich     1670
Verwunden, kann's auch meinem Arm beschieden sein,
Zur Höll' dich sendend Englands Not zu endigen.
In Gottes gnäd'ge Hände leg ich mein Geschick.

Ruf du Verdammte deine Höllengeister an,
Dir beizustehen! Wehre deines Lebens dich!
*(Er ergreift Schild und Schwert und dringt auf sie ein, krie-*
*gerische Musik erschallt in der Ferne, nach einem kurzen*
*Gefechte fällt Montgomery.)*

ACHTER AUFTRITT

*Johanna allein.*

Dich trug dein Fuß zum Tode – Fahre hin!
*(Sie tritt von ihm weg und bleibt gedankenvoll stehen.)*
Erhabne Jungfrau, du wirkst Mächtiges in mir!
Du rüstest den unkriegerischen Arm mit Kraft,
Dies Herz mit Unerbittlichkeit bewaffnest du.
In Mitleid schmilzt die Seele, und die Hand erbebt,      1680
Als bräche sie in eines Tempels heil'gen Bau,
Den blühenden Leib des Gegners zu verletzen;
Schon vor des Eisens blanker Schneide schaudert mir,
Doch wenn es not tut, alsbald ist die Kraft mir da,
Und nimmer irrend in der zitternden Hand regiert
Das Schwert sich selbst, als wär' es ein lebend'ger Geist.

NEUNTER AUFTRITT

*Ein Ritter mit geschloßnem Visier. Johanna.*

R i t t e r. Verfluchte! Deine Stunde ist gekommen,
   Dich sucht ich auf dem ganzen Feld der Schlacht.
   Verderblich Blendwerk! Fahre zu der Hölle
   Zurück, aus der du aufgestiegen bist.                  1690
J o h a n n a. Wer bist du, den sein böser Engel mir
   Entgegenschickt? Gleich eines Fürsten ist
   Dein Anstand, auch kein Brite scheinst du mir,
   Denn dich bezeichnet die burgund'sche Binde,
   Vor der sich meines Schwertes Spitze neigt.
R i t t e r. Verworfne, du verdientest nicht zu fallen
   Von eines Fürsten edler Hand. Das Beil
   Des Henkers sollte dein verdammtes Haupt
   Vom Rumpfe trennen, nicht der tapfre Degen
   Des königlichen Herzogs von Burgund.                   1700

J o h a n n a. So bist du dieser edle Herzog selbst?
R i t t e r *(schlägt das Visier auf).*
    Ich bin's. Elende, zittre und verzweifle!
    Die Satanskünste schützen dich nicht mehr;
    Du hast bis jetzt nur Schwächlinge bezwungen –
    Ein Mann steht vor dir.

ZEHNTER AUFTRITT

*Dunois und La Hire zu den Vorigen.*

D u n o i s.          Wende dich, Burgund!
    Mit Männern kämpfe, nicht mit Jungfrauen.
L a  H i r e. Wir schützen der Prophetin heilig Haupt,
    Erst muß dein Degen diese Brust durchbohren –
B u r g u n d. Nicht diese buhlerische Circe fürcht ich,
    Noch euch, die sie so schimpflich hat verwandelt.    1710
    Erröte, Bastard, Schande dir, La Hire,
    Daß du die alte Tapferkeit zu Künsten
    Der Höll' erniedrigst, den verächtlichen
    Schildknappen einer Teufelsdirne machst.
    Kommt her! Euch allen biet ich's! Der verzweifelt
    An Gottes Schutz, der zu dem Teufel flieht.
*(Sie bereiten sich zum Kampf, Johanna tritt dazwischen.)*
J o h a n n a. Haltet inne!
B u r g u n d.        Zitterst du für deinen Buhlen?
    Vor deinen Augen soll er – *(Dringt auf Dunois ein.)*
J o h a n n a.        Haltet inne!
    Trennt sie, La Hire – Kein französisch Blut soll fließen!
    Nicht Schwerter sollen diesen Streit entscheiden.    1720
    Ein andres ist beschlossen in den Sternen –
    Auseinander, sag ich – Höret und verehrt
    Den Geist, der mich ergreift, der aus mir redet!
D u n o i s. Was hältst du meinen aufgehobnen Arm
    Und hemmst des Schwertes blutige Entscheidung?
    Das Eisen ist gezückt, es fällt der Streich,
    Der Frankreich rächen und versöhnen soll.
J o h a n n a *(stellt sich in die Mitte und trennt beide Teile
    durch einen weiten Zwischenraum; zum Bastard).*
    Tritt auf die Seite!

*(Zu La Hire.)*       Bleib gefesselt stehen!
Ich habe mit dem Herzoge zu reden.
                    *(Nachdem alles ruhig ist.)*
Was willst du tun, Burgund? Wer ist der Feind,      1730
Den deine Blicke mordbegierig suchen?
Dieser edle Prinz ist Frankreichs Sohn wie du,
Dieser Tapfre ist dein Waffenfreund und Landsmann,
Ich selbst bin deines Vaterlandes Tochter.
Wir alle, die du zu vertilgen strebst,
Gehören zu den Deinen – unsre Arme
Sind aufgetan dich zu empfangen, unsre Knie
Bereit dich zu verehren – unser Schwert
Hat keine Spitze gegen dich. Ehrwürdig
Ist uns das Antlitz, selbst im Feindeshelm,      1740
Das unsers Königs teure Züge trägt.

B u r g u n d.  Mit süßer Rede schmeichlerischem Ton
Willst du, Sirene! deine Opfer locken.
Arglist'ge, mich betörst du nicht. Verwahrt
Ist mir das Ohr vor deiner Rede Schlingen,
Und deines Auges Feuerpfeile gleiten
Am guten Harnisch meines Busens ab.
Zu den Waffen, Dunois!
Mit Streichen, nicht mit Worten laß uns fechten.

D u n o i s.  Erst Worte und dann Streiche. Fürchtest du 1750
Vor Worten dich? Auch das ist Feigheit
Und der Verräter einer bösen Sache.

J o h a n n a.  Uns treibt nicht die gebieterische Not
Zu deinen Füßen; nicht als Flehende
Erscheinen wir vor dir. – Blick um dich her!
In Asche liegt das engelländ'sche Lager,
Und eure Toten decken das Gefild'.
Du hörst der Franken Kriegstrommete tönen,
Gott hat entschieden, unser ist der Sieg.
Des schönen Lorbeers frisch gebrochnen Zweig      1760
Sind wir bereit mit unserm Freund zu teilen.
– O komm herüber! Edler Flüchtling, komm!
Herüber, wo das Recht ist und der Sieg.
Ich selbst, die Gottgesandte, reiche dir
Die schwesterliche Hand. Ich will dich rettend
Herüberziehn auf unsre reine Seite! –

Der Himmel ist für Frankreich. Seine Engel –
Du siehst sie nicht – sie fechten für den König,
Sie alle sind mit Lilien geschmückt;
Lichtweiß wie diese Fahn' ist unsre Sache,          1770
Die reine Jungfrau ist ihr keusches Sinnbild.

B u r g u n d.  Verstrickend ist der Lüge trüglich Wort,
Doch ihre Rede ist wie eines Kindes.
Wenn böse Geister ihr die Worte leihn,
So ahmen sie die Unschuld siegreich nach.
Ich will nicht weiter hören. Zu den Waffen!
Mein Ohr, ich fühl's, ist schwächer als mein Arm.

J o h a n n a.  Du nennst mich eine Zauberin, gibst mir Künste
Der Hölle schuld – Ist Frieden stiften, Haß
Versöhnen ein Geschäft der Hölle? Kommt          1780
Die Eintracht aus dem ew'gen Pfuhl hervor?
Was ist unschuldig, heilig, menschlich gut,
Wenn es der Kampf nicht ist ums Vaterland?
Seit wann ist die Natur so mit sich selbst
Im Streite, daß der Himmel die gerechte Sache
Verläßt und daß die Teufel sie beschützen?
Ist aber das, was ich dir sage, gut –
Wo anders als von oben konnt' ich's schöpfen?
Wer hätte sich auf meiner Schäfertrift
Zu mir gesellt, das kind'sche Hirtenmädchen          1790
In königlichen Dingen einzuweihn?
Ich bin vor hohen Fürsten nie gestanden,
Die Kunst der Rede ist dem Munde fremd.
Doch jetzt, da ich's bedarf, dich zu bewegen,
Besitz ich Einsicht, hoher Dinge Kunde,
Der Länder und der Könige Geschick
Liegt sonnenhell vor meinem Kindesblick,
Und einen Donnerkeil führ ich im Munde.

B u r g u n d  *(lebhaft bewegt, schlägt die Augen zu ihr auf
und betrachtet sie mit Erstaunen und Rührung).*
Wie wird mir? Wie geschieht mir? Ist's ein Gott,
Der mir das Herz im tiefsten Busen wendet!          1800
– Sie trügt nicht, diese rührende Gestalt!
Nein! Nein! Bin ich durch *Zaubers* Macht geblendet,
So ist's durch eine himmlische Gewalt:
Mir sagt's das Herz, sie ist von Gott gesendet.

J o h a n n a.  Er ist gerührt, er ist's! Ich habe nicht
   Umsonst gefleht; des Zornes Donnerwolke schmilzt
   Von seiner Stirne tränentauend hin,
   Und aus den Augen, Friede strahlend, bricht
   Die goldne Sonne des Gefühls hervor.
   – Weg mit den Waffen – drücket Herz an Herz –     1810
   Er weint, er ist bezwungen, er ist unser!

*(Schwert und Fahne entsinken ihr, sie eilt auf ihn zu mit
ausgebreiteten Armen und umschlingt ihn mit leidenschaft-
lichem Ungestüm. La Hire und Dunois lassen die Schwerter
fallen und eilen ihn zu umarmen.)*

# DRITTER AUFZUG

*Hoflager des Königs zu Chalons an der Marne.*

## ERSTER AUFTRITT

*Dunois und La Hire.*

D u n o i s. Wir waren Herzensfreunde, Waffenbrüder,
Für *eine* Sache hoben wir den Arm
Und hielten fest in Not und Tod zusammen.
Laßt Weiberliebe nicht das Band zertrennen,
Das jeden Schicksalswechsel ausgehalten.
L a   H i r e. Prinz, hört mich an!
D u n o i s.                     Ihr liebt das wunderbare Mädchen,
Und mir ist wohl bekannt, worauf Ihr sinnt.
Zum König denkt Ihr stehnden Fußes jetzt
Zu gehen und die Jungfrau zum Geschenk                1820
Euch zu erbitten – Eurer Tapferkeit
Kann er den wohlverdienten Preis nicht weigern.
Doch wißt – eh' ich in eines andern Arm
Sie sehe –
L a   H i r e.   Hört mich, Prinz!
D u n o i s.                     Es zieht mich nicht
Der Augen flüchtig schnelle Lust zu ihr.
Den unbezwungnen Sinn hat nie ein Weib
Gerührt, bis ich die Wunderbare sah,
Die eines Gottes Schickung diesem Reich
Zur Retterin bestimmt und mir zum Weibe,
Und in dem Augenblick gelobt' ich mir                 1830
Mit heil'gem Schwur, als Braut sie heimzuführen.
Denn nur die Starke kann die Freundin sein
Des starken Mannes, und dies glühnde Herz
Sehnt sich, an einer gleichen Brust zu ruhn,
Die seine Kraft kann fassen und ertragen.
L a   H i r e.
Wie könnt' ich's wagen, Prinz, mein schwach Verdienst

Mit Eures Namens Heldenruhm zu messen!
Wo sich Graf Dunois in die Schranken stellt,
Muß jeder andre Mitbewerber weichen.
Doch eine niedre Schäferin kann nicht                1840
Als Gattin würdig Euch zur Seite stehn:
Das königliche Blut, das Eure Adern
Durchrinnt, verschmäht so niedrige Vermischung.
D u n o i s. Sie ist das Götterkind der heiligen
Natur wie ich, und ist mir ebenbürtig.
Sie sollte eines Fürsten Hand entehren,
Die eine Braut der reinen Engel ist,
Die sich das Haupt mit einem Götterschein
Umgibt, der heller strahlt als ird'sche Kronen,
Die jedes Größte, Höchste dieser Erden                1850
Klein unter ihren Füßen liegen sieht;
Denn alle Fürstenthronen, aufeinander-
Gestellt, bis zu den Sternen fortgebaut,
Erreichten nicht die Höhe, wo *sie* steht
In ihrer Engelsmajestät!
L a   H i r e. Der König mag entscheiden.
D u n o i s.                               Nein, sie selbst
Entscheide! Sie hat Frankreich frei gemacht,
Und selber frei muß sie ihr Herz verschenken.
L a   H i r e. Da kommt der König!


ZWEITER AUFTRITT

*Karl. Agnes Sorel. Du Chatel, der Erzbischof und Chatillon*
*zu den Vorigen.*

K a r l *(zu Chatillon).*
Er kommt! Er will als seinen König mich                1860
Erkennen, sagt Ihr, und mir huldigen?
C h a t i l l o n. Hier, Sire, in deiner königlichen Stadt
Chalons will sich der Herzog, mein Gebieter,
Zu deinen Füßen werfen. – Mir befahl er,
Als meinen Herrn und König dich zu grüßen;
Er folgt mir auf dem Fuß, gleich naht er selbst.
S o r e l. Er kommt! O schöne Sonne dieses Tags,
Der Freude bringt und Frieden und Versöhnung!

**C h a t i l l o n.**
Mein Herr wird kommen mit zweihundert Rittern,
Er wird zu deinen Füßen niederknien,                    1870
Doch er erwartet, daß du es *nicht* duldest,
Als deinen Vetter freundlich ihn umarmest.

**K a r l.** Mein Herz glüht, an dem seinigen zu schlagen.

**C h a t i l l o n.** Der Herzog bittet, daß des alten Streits
Beim ersten Wiedersehn mit keinem Worte
Meldung gescheh'!

**K a r l.**                  Versenkt im Lethe sei
Auf ewig das Vergangene. Wir wollen
Nur in der Zukunft heitre Tage sehn.

**C h a t i l l o n.** Die für Burgund gefochten, alle sollen
In die Versöhnung aufgenommen sein.                     1880

**K a r l.** Ich werde so mein Königreich verdoppeln!

**C h a t i l l o n.** Die Königin Isabeau soll in dem Frieden
Mit eingeschlossen sein, wenn sie ihn annimmt.

**K a r l.** Sie führet Krieg mit *mir*, nicht ich mit *ihr.*
Unser Streit ist aus, sobald sie selbst ihn endigt.

**C h a t i l l o n.** Zwölf Ritter sollen bürgen für dein Wort.

**K a r l.** Mein Wort ist heilig.

**C h a t i l l o n.**                  Und der Erzbischof
Soll eine Hostie teilen zwischen dir und ihm
Zum Pfand und Siegel redlicher Versöhnung.

**K a r l.** So sei mein Anteil an dem ew'gen Heil,          1890
Als Herz und Handschlag bei mir einig sind.
Welch andres Pfand verlangt der Herzog noch?

**C h a t i l l o n** (*mit einem Blick auf Du Chatel*).
Hier seh ich einen, dessen Gegenwart
Den ersten Gruß vergiften könnte.
              (*Du Chatel geht schweigend.*)

**K a r l.**                  Geh,
Du Chatel! Bis der Herzog deinen Anblick
Ertragen kann, magst du verborgen bleiben!
(*Er folgt ihm mit den Augen, dann eilt er ihm nach und
umarmt ihn.*)
Rechtschaffner Freund! Du wolltest mehr als dies
Für meine Ruhe tun!
              (*Du Chatel geht ab.*)

**C h a t i l l o n.** Die andern Punkte nennt dies Instrument.

**K a r l** *(zum Erzbischof).*
  Bringt es in Ordnung. Wir genehm'gen alles,        1900
  Für einen Freund ist uns kein Preis zu hoch.
  Geht, Dunois! Nehmt hundert edle Ritter
  Mit Euch und holt den Herzog freundlich ein.
  Die Truppen alle sollen sich mit Zweigen
  Bekränzen, ihre Brüder zu empfangen.
  Zum Feste schmücke sich die ganze Stadt,
  Und alle Glocken sollen es verkünden,
  Daß Frankreich und Burgund sich neu verbünden.
    *(Ein Edelknecht kommt. Man hört Trompeten.)*
  Horch! Was bedeutet der Trompeten Ruf?
**E d e l k n e c h t.**
  Der Herzog von Burgund hält seinen Einzug.        1910
  *(Geht ab.)*
**D u n o i s** *(geht mit La Hire und Chatillon).*
  Auf! Ihm entgegen!
**K a r l** *(zur Sorel).*
  Agnes, du weinst? Beinah gebricht auch mir
  Die Stärke, diesen Auftritt zu ertragen.
  Wie viele Todesopfer mußten fallen,
  Bis wir uns friedlich konnten wiedersehn.
  Doch endlich legt sich jedes Sturmes Wut,
  Tag wird es auf die dickste Nacht, und kommt
  Die Zeit, so reifen auch die spätsten Früchte!
**E r z b i s c h o f** *(am Fenster).*
  Der Herzog kann sich des Gedränges kaum
  Erledigen. Sie heben ihn vom Pferd,        1920
  Sie küssen seinen Mantel, seine Sporen.
**K a r l.** Es ist ein gutes Volk, in seiner Liebe
  Raschlodernd wie in seinem Zorn. – Wie schnell
  Vergessen ist's, daß ebendieser Herzog
  Die Väter ihnen und die Söhne schlug!
  Der Augenblick verschlingt ein ganzes Leben.
  – Faß dich, Sorel! Auch deine heft'ge Freude
  Möcht' ihm ein Stachel in die Seele sein;
  Nichts soll ihn hier beschämen noch betrüben.

DRITTER AUFTRITT

*Die Vorigen. Herzog von Burgund. Dunois. La Hire. Cha-*
*tillon und noch zwei andere Ritter von des Herzogs Gefolge.*
*Der Herzog bleibt am Eingang stehen, der König bewegt*
*sich gegen ihn, sogleich nähert sich Burgund, und in dem*
*Augenblick, wo er sich auf ein Knie will niederlassen, emp-*
*fängt ihn der König in seinen Armen.*

K a r l. Ihr habt uns überrascht – Euch einzuholen,      1930
   Gedachten wir – Doch Ihr habt schnelle Pferde.
B u r g u n d. Sie trugen mich zu meiner Pflicht.
   *(Er umarmt die Sorel und küßt sie auf die Stirne.)*
                                 Mit Eurer
   Erlaubnis, Base. Das ist unser Herrenrecht
   Zu Arras, und kein schönes Weib darf sich
   Der Sitte weigern.
K a r l.          Eure Hofstatt ist
   Der Sitz der Minne, sagt man, und der Markt,
   Wo alles Schöne muß den Stapel halten.
B u r g u n d. Wir sind ein handeltreibend Volk, mein König.
   Was köstlich wächst in allen Himmelstrichen,
   Wird ausgestellt zur Schau und zum Genuß      1940
   Auf unserm Markt zu Brügg', das höchste aber
   Von allen Gütern ist der Frauen Schönheit.
S o r e l. Der Frauen Treue gilt noch höhern Preis,
   Doch auf dem Markte wird sie nicht gesehn.
K a r l. Ihr steht in bösem Ruf und Leumund, Vetter,
   Daß Ihr der Frauen schönste Tugend schmäht.
B u r g u n d. *Die* Ketzerei straft sich am schwersten selbst.
   Wohl Euch, mein König! Früh hat Euch das Herz,
   Was mich ein wildes Leben spät, gelehrt!
   *(Er bemerkt den Erzbischof und reicht ihm die Hand.)*
   Ehrwürdiger Mann Gottes! Euren Segen!      1950
   Euch trifft man immer auf dem rechten Platz,
   Wer Euch will finden, muß im Guten wandeln.
E r z b i s c h o f. Mein Meister rufe, wenn er will; dies Herz
   Ist freudensatt, und ich kann fröhlich scheiden,
   Da meine Augen diesen Tag gesehn!
B u r g u n d *(zur Sorel).*
   Man spricht, Ihr habt Euch Eurer edeln Steine

Beraubt, um Waffen gegen mich daraus
Zu schmieden? Wie? Seid Ihr so kriegerisch
Gesinnt? War's Euch so ernst, mich zu verderben?
Doch unser Streit ist nun vorbei; es findet          1960
Sich alles wieder, was verloren war,
Auch Euer Schmuck hat sich zurückgefunden;
Zum Kriege wider mich war er bestimmt,
Nehmt ihn aus meiner Hand zum Friedenszeichen.

*(Er empfängt von einem seiner Begleiter das Schmuckkäst-*
*chen und überreicht es ihr geöffnet. Agnes Sorel sieht den*
*König betroffen an.)*

K a r l. Nimm das Geschenk, es ist ein zweifach teures Pfand
    Der schönen Liebe mir und der Versöhnung.

B u r g u n d *(indem er eine brillantne Rose in ihre Haare*
*steckt).* Warum ist es nicht Frankreichs Königskrone?
    Ich würde sie mit gleich geneigtem Herzen
    Auf diesem schönen Haupt befestigen.
    *(Ihre Hand bedeutend fassend.)*
    Und – zählt auf mich, wenn Ihr dereinst des Freundes  1970
    Bedürfen solltet!

*(Agnes Sorel, in Tränen ausbrechend, tritt auf die Seite, auch*
*der König bekämpft eine große Bewegung, alle Umstehende*
*blicken gerührt auf beide Fürsten.)*

B u r g u n d *(nachdem er alle der Reihe nach angesehen,*
*wirft er sich in die Arme des Königs).*
                O mein König!
    *(In demselben Augenblick eilen die drei burgundischen*
    *Ritter auf Dunois, La Hire und den Erzbischof zu und*
    *umarmen einander. Beide Fürsten liegen eine Zeitlang ein-*
    *ander sprachlos in den Armen.)*
    Euch konnt' ich hassen! Euch konnt' ich entsagen!

K a r l. Still! Still! Nicht weiter!

B u r g u n d.              Diesen Engelländer
    Konnt' ich krönen! Diesem Fremdling Treue schwören!
    Euch, meinen König, ins Verderben stürzen!

K a r l. Vergeßt es! Alles ist verziehen. Alles
    Tilgt dieser einz'ge Augenblick. Es war
    Ein Schicksal, ein unglückliches Gestirn!

B u r g u n d *(faßt seine Hand).*
    Ich will gutmachen! Glaubet mir, ich will's.

Alle Leiden sollen Euch erstattet werden,                    1980
Euer ganzes Königreich sollt Ihr zurück-
Empfangen – nicht ein Dorf soll daran fehlen!
K a r l. Wir sind vereint. Ich fürchte keinen Feind mehr.
B u r g u n d.
   Glaubt mir, ich führte nicht mit frohem Herzen
   Die Waffen wider Euch. O wüßtet Ihr –
   Warum habt Ihr mir *diese* nicht geschickt?
   *(Auf die Sorel zeigend.)*
   Nicht widerstanden hätt' ich ihren Tränen!
   – Nun soll uns keine Macht der Hölle mehr
   Entzweien, da wir Brust an Brust geschlossen!
   Jetzt hab ich meinen wahren Ort gefunden,         1990
   An diesem Herzen endet meine Irrfahrt.
E r z b i s c h o f *(tritt zwischen beide).*
   Ihr seid vereinigt, Fürsten! Frankreich steigt
   Ein neu verjüngter Phönix aus der Asche,
   Uns lächelt eine schöne Zukunft an.
   Des Landes tiefe Wunden werden heilen,
   Die Dörfer, die verwüsteten, die Städte
   Aus ihrem Schutt sich prangender erheben,
   Die Felder decken sich mit neuem Grün –
   Doch, die das Opfer Eures Zwists gefallen,
   Die Toten stehen nicht mehr auf; die Tränen,      2000
   Die Eurem Streit geflossen, *sind* und *bleiben*
   Geweint! Das kommende Geschlecht wird blühn,
   Doch das vergangne war des Elends Raub,
   Der Enkel Glück erweckt nicht mehr die Väter.
   Das sind die Früchte Eures Bruderzwists!
   Laßt's Euch zur Lehre dienen! Fürchtet die Gottheit
   Des Schwerts, eh' Ihr's der Scheid' entreißt. Loslassen
   Kann der Gewaltige den Krieg; doch nicht
   Gelehrig, wie der Falk sich aus den Lüften
   Zurückschwingt auf des Jägers Hand, gehorcht     2010
   Der wilde Gott dem Ruf der Menschenstimme.
   Nicht zweimal kommt im rechten Augenblick
   Wie heut die Hand des Retters aus den Wolken.
B u r g u n d.
   O Sire! Euch wohnt ein Engel an der Seite.
   – Wo ist sie? Warum seh ich sie nicht hier?

K a r l. Wo ist Johanna? Warum fehlt sie uns
   In diesem festlich schönen Augenblick,
   Den *sie* uns schenkte?
E r z b i s c h o f.          Sire! Das heil'ge Mädchen
   Liebt nicht die Ruhe eines müß'gen Hofs,
   Und ruft sie nicht der göttliche Befehl          2020
   Ans Licht der Welt hervor, so meidet sie
   Verschämt den eitlen Blick gemeiner Augen!
   Gewiß bespricht sie sich mit Gott, wenn sie
   Für Frankreichs Wohlfahrt nicht geschäftig ist;
   Denn allen ihren Schritten folgt der Segen.


### VIERTER AUFTRITT

*Johanna zu den Vorigen. Sie ist im Harnisch, aber ohne
   Helm, und trägt einen Kranz in den Haaren.*

K a r l. Du kommst als Priesterin geschmückt, Johanna,
   Den Bund, den du gestiftet, einzuweihn?
B u r g u n d.
   Wie schrecklich war die Jungfrau in der Schlacht,
   Und wie umstrahlt mit Anmut sie der Friede!
   – Hab ich mein Wort gelöst, Johanna? Bist du          2030
   Befriedigt, und verdien ich deinen Beifall?
J o h a n n a. Dir selbst hast du die größte Gunst erzeigt.
   Jetzt schimmerst du in segenvollem Licht,
   Da du vorhin in blutrotdüsterm Schein
   Ein Schreckensmond an diesem Himmel hingst.
   *(Sich umschauend.)*
   Viel edle Ritter find ich hier versammelt,
   Und alle Augen glänzen freudenhell –
   Nur *einem* Traurigen hab ich begegnet,
   Der sich verbergen muß, wo alles jauchzt.
B u r g u n d.
   Und wer ist sich so schwerer Schuld bewußt,          2040
   Daß er an unsrer Huld verzweifeln müßte?
J o h a n n a. Darf er sich nahn? O sage, daß er's darf!
   Mach dein Verdienst vollkommen. Eine Versöhnung
   Ist keine, die das Herz nicht ganz befreit.
   Ein Tropfe *Haß*, der in dem Freudenbecher

Zurückbleibt, macht den Segenstrank zum Gift.
– Kein Unrecht sei so blutig, daß Burgund
An diesem Freudentag es nicht vergebe!

B u r g u n d.  Ha, ich verstehe dich!

J o h a n n a.                         Und willst verzeihn?
Du willst es, Herzog? – Komm herein, Du Chatel!  2050
*(Sie öffnet die Tür und führt Du Chatel herein, dieser*
*bleibt in der Entfernung stehen.)*
Der Herzog ist mit seinen Feinden allen
Versöhnt, er ist es auch mit dir.

*(Du Chatel tritt einige Schritte näher und sucht in den Augen*
*des Herzogs zu lesen.)*

B u r g u n d.                       Was machst du
Aus mir, Johanna? Weißt du, was du forderst?

J o h a n n a.  Ein güt'ger Herr tut seine Pforten auf
Für alle Gäste, keinen schließt er aus;
Frei, wie das Firmament die Welt umspannt,
So muß die Gnade Freund und Feind umschließen.
Es schickt die Sonne ihre Strahlen gleich
Nach allen Räumen der Unendlichkeit;
Gleich messend gießt der Himmel seinen Tau   2060
Auf alle durstenden Gewächse aus.
Was irgend gut ist und von oben kommt,
Ist allgemein und ohne Vorbehalt,
Doch in den Falten wohnt die Finsternis!

B u r g u n d.  O sie kann mit mir schalten, wie sie will,
Mein Herz ist weiches Wachs in ihrer Hand.
– Umarmt mich, Du Chatel! Ich vergeb Euch.
Geist meines Vaters, zürne nicht, wenn ich
Die Hand, die dich getötet, freundlich fasse.
Ihr Todesgötter, rechnet mir's nicht zu,        2070
Daß ich mein schrecklich Rach'gelübde breche!
Bei euch dort unten in der ew'gen Nacht,
Da schlägt kein Herz mehr, da ist alles ewig,
Steht alles unbeweglich fest – doch anders
Ist es hier oben in der Sonne Licht.
Der Mensch ist, der lebendig fühlende,
Der leichte Raub des mächt'gen Augenblicks.

K a r l *(zur Johanna).*
Was dank ich dir nicht alles, hohe Jungfrau!

Wie schön hast du dein Wort gelöst!
Wie schnell mein ganzes Schicksal umgewandelt!    2080
Die Freunde hast du mir versöhnt, die Feinde
Mir in den Staub gestürzt und meine Städte
Dem fremden Joch entrissen. – Du allein
Vollbrachtest alles. – Sprich, wie lohn ich dir!
J o h a n n a. Sei immer menschlich, Herr, im Glück, wie du's
   Im Unglück warst – und auf der Größe Gipfel
   Vergiß nicht, was ein Freund wiegt in der Not;
   Du hast's in der Erniedrigung erfahren.
   Verweigre nicht Gerechtigkeit und Gnade
   Dem letzten deines Volks; denn von der Herde    2090
   Berief dir Gott die Retterin – du wirst
   Ganz Frankreich sammeln unter deinen Zepter,
   Der Ahn- und Stammherr großer Fürsten sein;
   Die nach dir kommen, werden heller leuchten,
   Als die dir auf dem Thron vorangegangen.
   Dein Stamm wird blühn, solang er sich die Liebe
   Bewahrt im Herzen seines Volks;
   Der Hochmut nur kann ihn zum Falle führen,
   Und von den niedern Hütten, wo dir jetzt
   Der Retter ausging, droht geheimnisvoll    2100
   Den schuldbefleckten Enkeln das Verderben!
B u r g u n d. Erleuchtet Mädchen, das der Geist beseelt,
   Wenn deine Augen in die Zukunft dringen,
   So sprich mir auch von meinem Stamm! Wird er
   Sich herrlich breiten, wie er angefangen?
J o h a n n a. Burgund! Hoch bis zu Throneshöhe hast
   Du deinen Stuhl gesetzt, und höher strebt
   Das stolze Herz, es hebt bis in die Wolken
   Den kühnen Bau. – Doch eine Hand von oben
   Wird seinem Wachstum schleunig Halt gebieten.    2110
   Doch fürchte drum nicht deines Hauses Fall!
   In einer Jungfrau lebt es glänzend fort,
   Und zeptertragende Monarchen, Hirten
   Der Völker werden ihrem Schoß entblühn.
   Sie werden herrschen auf zwei großen Thronen,
   Gesetze schreiben der bekannten Welt
   Und einer neuen, welche Gottes Hand
   Noch zudeckt hinter unbeschifften Meeren.

K a r l. O sprich, wenn es der Geist dir offenbaret,
   Wird dieses Freundesbündnis, das wir jetzt          2120
   Erneut, auch noch die späten Enkelsöhne
   Vereinigen?
J o h a n n a *(nach einem Stillschweigen)*.
            Ihr Könige und Herrscher!
   Fürchtet die Zwietracht! Wecket nicht den Streit
   Aus seiner Höhle, wo er schläft; denn *einmal*
   Erwacht, bezähmt er spät sich wieder! Enkel
   Erzeugt er sich, ein eisernes Geschlecht,
   Fortzündet an dem Brande sich der Brand.
   – Verlangt nicht mehr zu wissen! Freuet euch
   Der Gegenwart, laßt mich die Zukunft still
   Bedecken!
S o r e l.     Heilig Mädchen, du erforschest          2130
   Mein Herz, du weißt, ob es nach Größe eitel strebt;
   Auch mir gib ein erfreuliches Orakel.
J o h a n n a. Mir zeigt der Geist nur große Weltgeschicke,
   *Dein* Schicksal ruht in deiner eignen Brust!
D u n o i s. Was aber wird dein eigen Schicksal sein,
   Erhabnes Mädchen, das der Himmel liebt?
   Dir blüht gewiß das schönste Glück der Erden,
   Da du so fromm und heilig bist.
J o h a n n a.                   Das Glück
   Wohnt droben in dem Schoß des ew'gen Vaters.
K a r l. Dein Glück sei fortan deines Königs Sorge!   2140
   Denn deinen Namen will ich herrlich machen
   In Frankreich; selig preisen sollen dich
   Die spätesten Geschlechter – und gleich jetzt
   Erfüll ich es. – Knie nieder!
   *(Er zieht das Schwert und berührt sie mit demselben.)*
                     Und steh auf
   Als eine Edle! Ich erhebe dich,
   Dein König, aus dem Staube deiner dunkeln
   Geburt – Im Grabe adl' ich deine Väter –
   Du sollst die Lilie im Wappen tragen,
   Den Besten sollst du ebenbürtig sein
   In Frankreich; nur das königliche Blut          2150
   Von Valois sei edler als das deine!
   Der Größte meiner Großen fühle sich

    Durch deine Hand geehrt; mein sei die Sorge,
    Dich einem edeln Gatten zu vermählen.
D u n o i s *(tritt vor).*
    Mein Herz erkor sie, da sie niedrig war;
    Die neue Ehre, die ihr Haupt umglänzt,
    Erhöht nicht ihr Verdienst noch meine Liebe.
    Hier in dem Angesichte meines Königs
    Und dieses heil'gen Bischofs reich ich ihr
    Die Hand als meiner fürstlichen Gemahlin,     2160
    Wenn sie mich würdig hält, sie zu empfangen.
K a r l. Unwiderstehlich Mädchen, du häufst Wunder
    Auf Wunder! Ja, nun glaub ich, daß dir nichts
    Unmöglich ist. Du hast dies stolze Herz
    Bezwungen, das der Liebe Allgewalt
    Hohn sprach bis jetzt.
L a H i r e *(tritt vor).*    Johannas schönster Schmuck,
    Kenn ich sie recht, ist ihr bescheidnes Herz.
    Der Huldigung des Größten ist sie wert,
    Doch nie wird sie den Wunsch so hoch erheben.
    Sie strebt nicht schwindelnd ird'scher Hoheit nach,   2170
    Die treue Neigung eines redlichen
    Gemüts genügt ihr und das stille Los,
    Das ich mit dieser Hand ihr anerbiete.
K a r l. Auch du, La Hire? Zwei treffliche Bewerber,
    An Heldentugend gleich und Kriegesruhm!
    – Willst du, die meine Feinde mir versöhnt,
    Mein Reich vereinigt, mir die liebsten Freunde
    Entzwein? Es kann sie *einer* nur besitzen,
    Und jeden acht ich solches Preises wert.
    So rede du, dein Herz muß hier entscheiden.     2180
S o r e l *(tritt näher).*
    Die edle Jungfrau seh ich überrascht,
    Und ihre Wangen färbt die zücht'ge Scham.
    Man geb' ihr Zeit, ihr Herz zu fragen, sich
    Der Freundin zu vertrauen und das Siegel
    Zu lösen von der fest verschloßnen Brust.
    Jetzt ist der Augenblick gekommen, wo
    Auch ich der strengen Jungfrau schwesterlich
    Mich nahen, ihr den treu verschwiegnen Busen
    Darbieten darf. – Man laß uns weiblich erst

Das Weibliche bedenken und erwarte, 2190
Was wir beschließen werden.
K a r l *(im Begriff zu gehen).* Also sei's!
J o h a n n a. Nicht also, Sire! Was meine Wangen färbte,
War die Verwirrung nicht der blöden Scham.
Ich habe dieser edeln Frau nichts zu vertraun,
Des ich vor Männern mich zu schämen hätte.
Hoch ehrt mich dieser edeln Ritter Wahl;
Doch nicht verließ ich meine Schäfertrift,
Um weltlich eitle Hoheit zu erjagen,
Noch, mir den Brautkranz in das Haar zu flechten,
Legt' ich die ehrne Waffenrüstung an. 2200
Berufen bin ich zu ganz anderm Werk,
Die reine Jungfrau nur kann es vollenden.
Ich bin die Kriegerin des höchsten Gottes,
Und keinem Manne kann ich Gattin sein.
E r z b i s c h o f. Dem Mann zur liebenden Gefährtin ist
Das Weib geboren – wenn sie der Natur
Gehorcht, dient sie am würdigsten dem Himmel!
Und hast du dem Befehle deines Gottes,
Der in das Feld dich rief, genug getan,
So wirst du deine Waffen von dir legen 2210
Und wiederkehren zu dem sanfteren
Geschlecht, das du verleugnet hast, das nicht
Berufen ist zum blut'gen Werk der Waffen.
J o h a n n a. Ehrwürd'ger Herr, ich weiß noch nicht zu sagen,
Was mir der Geist gebieten wird zu tun;
Doch wenn die Zeit kommt, wird mir seine Stimme
Nicht schweigen, und gehorchen werd ich ihr.
Jetzt aber heißt er mich mein Werk vollenden.
Die Stirne meines Herren ist noch nicht
Gekrönt, das heil'ge Öl hat seine Scheitel 2220
Noch nicht benetzt, noch heißt mein Herr nicht König.
K a r l. Wir sind begriffen auf dem Weg nach Reims.
J o h a n n a. Laß uns nicht stillstehn, denn geschäftig sind
Die Feinde rings, den Weg dir zu verschließen.
Doch mitten durch sie all' führ ich dich.
D u n o i s. Wenn aber alles wird vollendet sein,
Wenn wir zu Reims nun siegend eingezogen,
Wirst du mir dann vergönnen, heilig Mädchen –

**Johanna.** Will es der Himmel, daß ich sieggekrönt
　Aus diesem Kampf des Todes wiederkehre, 　　　　　　2230
　So ist mein Werk vollendet – und die Hirtin
　Hat kein Geschäft mehr in des Königs Hause.

**Karl** *(ihre Hand fassend).*
　Dich treibt des Geistes Stimme jetzt, es schweigt
　Die Liebe in dem gotterfüllten Busen.
　Sie wird nicht immer schweigen, glaube mir!
　Die Waffen werden ruhn, es führt der Sieg
　Den Frieden an der Hand, dann kehrt die Freude
　In jeden Busen ein, und sanftere
　Gefühle wachen auf in allen Herzen –
　Sie werden auch in deiner Brust erwachen, 　　　　　　2240
　Und Tränen süßer Sehnsucht wirst du weinen,
　Wie sie dein Auge nie vergoß – dies Herz,
　Das jetzt der Himmel ganz erfüllt, wird sich
　Zu einem ird'schen Freunde liebend wenden –
　Jetzt hast du rettend Tausende beglückt,
　Und, *einen* zu beglücken, wirst du enden!

**Johanna.** Dauphin! Bist du der göttlichen Erscheinung
　Schon müde, daß du ihr Gefäß zerstören,
　Die reine Jungfrau, die dir Gott gesendet,
　Herab willst ziehn in den gemeinen Staub? 　　　　　　2250
　Ihr blinden Herzen! Ihr Kleingläubigen!
　Des Himmels Herrlichkeit umleuchtet euch,
　Vor eurem Aug' enthüllt er seine Wunder,
　Und ihr erblickt in mir nichts als ein Weib.
　Darf sich ein Weib mit kriegerischem Erz
　Umgeben, in die Männerschlacht sich mischen?
　Weh mir, wenn ich das Rach'schwert meines Gottes
　In Händen führte und im eiteln Herzen
　Die Neigung trüge zu dem ird'schen Mann!
　Mir wäre besser, ich wär' nie geboren! 　　　　　　2260
　Kein solches Wort mehr, sag ich euch, wenn ihr
　Den Geist in mir nicht zürnend wollt entrüsten!
　Der Männer Auge schon, das mich begehrt,
　Ist mir ein Grauen und Entheiligung.

**Karl.** Brecht ab. Es ist umsonst, sie zu bewegen.

**Johanna.** Befiehl, daß man die Kriegstrommete blase!
　Mich preßt und ängstigt diese Waffenstille,

Es jagt mich auf aus dieser müß'gen Ruh'
Und treibt mich fort, daß ich mein Werk erfülle,
Gebietrisch mahnend meinem Schicksal zu.      2270

FÜNFTER AUFTRITT

*Ein Ritter eilfertig zu den Vorigen.*

K a r l. Was ist's?

R i t t e r.      Der Feind ist über die Marne gegangen
Und stellt sein Heer zum Treffen.

J o h a n n a *(begeistert).*      Schlacht und Kampf!
Jetzt ist die Seele ihrer Banden frei.
Bewaffnet euch, ich ordn' indes die Scharen.
*(Sie eilt hinaus.)*

K a r l. Folgt ihr, La Hire – Sie wollen uns am Tore
Von Reims noch um die Krone kämpfen lassen!

D u n o i s. Sie treibt nicht wahrer Mut. Es ist der letzte
Versuch ohnmächtig wütender Verzweiflung.

K a r l. Burgund, Euch sporn ich nicht. Heut ist der Tag,
Um viele böse Tage zu vergüten.      2280

B u r g u n d. Ihr sollt mit mir zufrieden sein.

K a r l.      Ich selbst
Will Euch vorangehn auf dem Weg des Ruhms
Und in dem Angesicht der Krönungsstadt
Die Krone mir erfechten. – Meine Agnes!
Dein Ritter sagt dir Lebewohl!

A g n e s *(umarmt ihn).*
Ich weine nicht, ich zittre nicht für dich,
Mein Glaube greift vertrauend in die Wolken!
So viele Pfänder seiner Gnade gab
Der Himmel nicht, daß wir am Ende trauern!
Vom Sieg gekrönt umarm ich meinen Herrn,      2290
Mir sagt's das Herz, in Reims' bezwungnen Mauern.

*(Trompeten erschallen mit mutigem Ton und gehen, während daß verwandelt wird, in ein wildes Kriegsgetümmel über; das Orchester fällt ein bei offener Szene und wird von kriegerischen Instrumenten hinter der Szene begleitet.)*

*Der Schauplatz verwandelt sich in eine freie Gegend, die
von Bäumen begrenzt wird. Man sieht während der Musik
Soldaten über den Hintergrund schnell wegziehen.*


### SECHSTER AUFTRITT

*Talbot, auf Fastolf gestützt und von Soldaten begleitet.
Gleich darauf Lionel.*

T a l b o t. Hier unter diesen Bäumen setzt mich nieder,
  Und ihr begebt euch in die Schlacht zurück;
  Ich brauche keines Beistands, um zu sterben.
F a s t o l f. O unglückselig jammervoller Tag!
           *(Lionel tritt auf.)*
  Zu welchem Anblick kommt Ihr, Lionel!
  Hier liegt der Feldherr auf den Tod verwundet.
L i o n e l. Das wolle Gott nicht! Edler Lord, steht auf!
  Jetzt ist's nicht Zeit, ermattet hinzusinken.
  Weicht nicht dem Tod, gebietet der Natur      2300
  Mit Eurem mächt'gen Willen, daß sie lebe!
T a l b o t.
  Umsonst! Der Tag des Schicksals ist gekommen,
  Der unsern Thron in Frankreich stürzen soll.
  Vergebens in verzweiflungsvollem Kampf
  Wagt' ich das Letzte noch, ihn abzuwenden.
  Vom Strahl dahingeschmettert lieg ich hier,
  Um nicht mehr aufzustehn. – Reims ist verloren,
  So eilt, Paris zu retten!
L i o n e l. Paris hat sich vertragen mit dem Dauphin,
  Soeben bringt ein Eilbot' uns die Nachricht.      2310
T a l b o t *(reißt den Verband ab).*
  So strömet hin, ihr Bäche meines Bluts,
  Denn überdrüssig bin ich dieser Sonne!
L i o n e l.
  Ich kann nicht bleiben. – Fastolf, bringt den Feldherrn
  An einen sichern Ort, wir können uns
  Nicht lange mehr auf diesem Posten halten.
  Die Unsern fliehen schon von allen Seiten,
  Unwiderstehlich dringt das Mädchen vor –

Talbot.
  Unsinn, du siegst, und ich muß untergehn!
  Mit der Dummheit kämpfen Götter selbst vergebens.
  Erhabene Vernunft, lichthelle Tochter                    2320
  Des göttlichen Hauptes, weise Gründerin
  Des Weltgebäudes, Führerin der Sterne,
  Wer bist du denn, wenn du dem tollen Roß
  Des Aberwitzes an den Schweif gebunden,
  Ohnmächtig rufend, mit dem Trunkenen
  Dich sehend in den Abgrund stürzen mußt!
  Verflucht sei, wer sein Leben an das Große
  Und Würd'ge wendet und bedachte Plane
  Mit weisem Geist entwirft! Dem Narrenkönig
  Gehört die Welt –

Lionel.                Mylord! Ihr habt nur noch          2330
  Für wenig Augenblicke Leben – denkt
  An Euren Schöpfer!

Talbot.              Wären wir als Tapfre
  Durch andre Tapfere besiegt, wir könnten
  Uns trösten mit dem allgemeinen Schicksal,
  Das immer wechselnd seine Kugel dreht –
  Doch solchem groben Gaukelspiel erliegen!
  War unser ernstes arbeitsvolles Leben
  Keines ernsthaftern Ausgangs wert?

Lionel *(reicht ihm die Hand).*
  Mylord, fahrt wohl! Der Tränen schuld'gen Zoll
  Will ich Euch redlich nach der Schlacht entrichten,  2340
  Wenn ich alsdann noch übrig bin. Jetzt aber
  Ruft das Geschick mich fort, das auf dem Schlachtfeld
  Noch richtend sitzt und seine Lose schüttelt.
  Auf Wiedersehn in einer andern Welt!
  Kurz ist der Abschied für die lange Freundschaft.
  *(Geht ab.)*

Talbot. Bald ist's vorüber, und der Erde geb ich,
  Der ew'gen Sonne die Atome wieder,
  Die sich zu Schmerz und Lust in mir gefügt –
  Und von dem mächt'gen Talbot, der die Welt
  Mit seinem Kriegsruhm füllte, bleibt nichts übrig    2350
  Als eine Handvoll leichten Staubs. – So geht
  Der Mensch zu Ende – und die einzige

Ausbeute, die wir aus dem Kampf des Lebens
Wegtragen, ist die Einsicht in das Nichts
Und herzliche Verachtung alles dessen,
Was uns erhaben schien und wünschenswert –

SIEBENTER AUFTRITT

*Karl. Burgund. Dunois. Du Chatel und Soldaten treten auf.*
*Talbot und Fastolf.*

B u r g u n d. Die Schanze ist erstürmt.
D u n o i s.                   Der Tag ist unser.
K a r l *(Talbot bemerkend)*.
  Seht, wer es ist, der dort vom Licht der Sonne
  Den unfreiwillig schweren Abschied nimmt?
  Die Rüstung zeigt mir keinen schlechten Mann,     2360
  Geht, springt ihm bei, wenn ihm noch Hilfe frommt.
      *(Soldaten aus des Königs Gefolge treten hinzu.)*
F a s t o l f.
  Zurück! Bleibt fern! Habt Achtung vor dem Toten,
  Dem ihr im Leben nie zu nahn gewünscht!
B u r g u n d. Was seh ich! Talbot liegt in seinem Blut!
*(Er geht auf ihn zu. Talbot blickt ihn starr an und stirbt.)*
F a s t o l f. Hinweg, Burgund! Den letzten Blick des Helden
  Vergifte nicht der Anblick des Verräters!
D u n o i s. Furchtbarer Talbot! Unbezwinglicher!
  Nimmst du vorlieb mit so geringem Raum,
  Und Frankreichs weite Erde konnte nicht
  Dem Streben deines Riesengeistes g'nügen.     2370
  – Erst jetzo, Sire, begrüß ich Euch als König:
  Die Krone zitterte auf Eurem Haupt,
  Solang ein Geist in diesem Körper lebte.
K a r l *(nachdem er den Toten stillschweigend betrachtet)*.
  Ihn hat ein Höherer besiegt, nicht wir!
  Er liegt auf Frankreichs Erde, wie der Held
  Auf seinem Schild, den er nicht lassen wollte.
  Bringt ihn hinweg!
*(Soldaten heben den Leichnam auf und tragen ihn fort.)*
                Fried' sei mit seinem Staube!
  Ihm soll ein ehrenvolles Denkmal werden:

Mitten in Frankreich, wo er seinen Lauf
Als Held geendet, ruhe sein Gebein!                    2380
So weit als er drang noch kein feindlich Schwert,
Seine Grabschrift sei der Ort, wo man ihn findet.

F a s t o l f *(gibt sein Schwert ab).*
Herr, ich bin dein Gefangener.

K a r l *(gibt ihm sein Schwert zurück).*

                            Nicht also!
Die fromme Pflicht ehrt auch der rohe Krieg,
Frei sollt Ihr Eurem Herrn zu Grabe folgen.
Jetzt eilt, Du Chatel – Meine Agnes zittert –
Entreißt sie ihrer Angst um uns – Bringt ihr
Die Botschaft, daß wir leben, daß wir siegten,
Und führt sie im Triumph nach Reims!

          *(Du Chatel geht ab.)*


### ACHTER AUFTRITT

*La Hire zu den Vorigen.*

D u n o i s.                          La Hire!
Wo ist die Jungfrau?

L a H i r e.          Wie? Das frag ich Euch.                    2390
An Eurer Seite fechtend ließ ich sie.

D u n o i s. Von Eurem Arme glaubt' ich sie beschützt,
Als ich dem König beizuspringen eilte.

B u r g u n d. Im dichtsten Feindeshaufen sah ich noch
Vor kurzem ihre weiße Fahne wehn.

D u n o i s. Weh uns, wo ist sie? Böses ahnet mir!
Kommt, eilen wir sie zu befrein. – Ich fürchte,
Sie hat der kühne Mut zu weit geführt,
Umringt von Feinden kämpft sie ganz allein,
Und hilflos unterliegt sie jetzt der Menge.                    2400

K a r l. Eilt, rettet sie!

L a H i r e.          Ich folg Euch, kommt!

B u r g u n d.                   Wir alle!

         *(Sie eilen fort.)*

*Eine andre öde Gegend des Schlachtfelds.*
*Man sieht die Türme von Reims in der Ferne, von der Sonne*
*beleuchtet.*

### NEUNTER AUFTRITT

*Ein Ritter in ganz schwarzer Rüstung, mit geschloßnem*
*Visier. Johanna verfolgt ihn bis auf die vordere Bühne, wo*
*er stillesteht und sie erwartet.*

J o h a n n a. Arglist'ger! Jetzt erkenn ich deine Tücke!
  Du hast mich trüglich durch verstellte Flucht
  Vom Schlachtfeld weggelockt und Tod und Schicksal
  Von vieler Britensöhne Haupt entfernt.
  Doch jetzt ereilt dich selber das Verderben.
S c h w a r z e r  R i t t e r.
  Warum verfolgst du mich und heftest dich
  So wutentbrannt an meine Fersen? Mir
  Ist nicht bestimmt, von deiner Hand zu fallen.
J o h a n n a. Verhaßt in tiefster Seele bist du mir,    2410
  Gleichwie die Nacht, die deine Farbe ist.
  Dich wegzutilgen von dem Licht des Tags
  Treibt mich die unbezwingliche Begier.
  Wer bist du? Öffne dein Visier. – Hätt' ich
  Den kriegerischen Talbot in der Schlacht
  Nicht fallen sehn, so sagt' ich, du wärst Talbot.
S c h w a r z e r  R i t t e r.
  Schweigt dir die Stimme des Prophetengeistes?
J o h a n n a. Sie redet laut in meiner tiefsten Brust,
  Daß mir das Unglück an der Seite steht.
S c h w a r z e r  R i t t e r.
  Johanna d'Arc! Bis an die Tore Reims'    2420
  Bist du gedrungen auf des Sieges Flügeln.
  Dir g'nüge der erworbne Ruhm. Entlasse
  Das Glück, das dir als Sklave hat gedient,
  Eh' es sich zürnend selbst befreit: es haßt
  Die Treu', und keinem dient es bis ans Ende.
J o h a n n a. Was heißest du in Mitte meines Laufs
  Mich stille stehen und mein Werk verlassen?
  Ich führ es aus und löse mein Gelübde!

S c h w a r z e r  R i t t e r.
      Nichts kann dir, du Gewalt'ge, widerstehn,
      In jedem Kampfe siegst du. – Aber gehe                    2430
      In keinen Kampf mehr. Höre meine Warnung!
J o h a n n a.  Nicht aus den Händen leg ich dieses Schwert,
      Als bis das stolze England niederliegt.
S c h w a r z e r  R i t t e r.
      Schau hin! Dort hebt sich Reims mit seinen Türmen,
      Das Ziel und Ende deiner Fahrt – die Kuppel
      Der hohen Kathedrale siehst du leuchten,
      Dort wirst du einziehn im Triumphgepräng',
      Deinen König krönen, dein Gelübde lösen.
      – Geh nicht hinein. Kehr um. Hör meine Warnung.
J o h a n n a.  Wer bist du, doppelzüngig falsches Wesen,   2440
      Das mich erschrecken und verwirren will?
      Was maßest du dir an, mir falsch Orakel
      Betrüglich zu verkündigen?
      *(Der schwarze Ritter will abgehen, sie tritt ihm in den
                                    Weg.)*
                                    Nein, du stehst
      Mir Rede oder stirbst von meinen Händen!
      *(Sie will einen Streich auf ihn führen.)*
S c h w a r z e r  R i t t e r *(berührt sie mit der Hand, sie
      bleibt unbeweglich stehen).*
      Töte, was sterblich ist!
      *(Nacht, Blitz und Donnerschlag. Der Ritter versinkt.)*
J o h a n n a *(steht anfangs erstaunt, faßt sich aber bald
      wieder).* Es war nichts Lebendes. – Ein trüglich Bild
      Der Hölle war's, ein widerspenst'ger Geist,
      Heraufgestiegen aus dem Feuerpfuhl,
      Mein edles Herz im Busen zu erschüttern.
      Wen fürcht ich mit dem Schwerte meines Gottes?     2450
      Siegreich vollenden will ich meine Bahn,
      Und käm' die Hölle selber in die Schranken,
      Mir soll der Mut nicht weichen und nicht wanken!
      *(Sie will abgehen.)*

ZEHNTER AUFTRITT

*Lionel. Johanna.*

L i o n e l. Verfluchte, rüste dich zum Kampf – Nicht beide
Verlassen wir lebendig diesen Platz.
Du hast die Besten meines Volks getötet,
Der edle Talbot hat die große Seele
In meinen Busen ausgehaucht. – Ich räche
Den Tapfern oder teile sein Geschick.
Und daß du wissest, wer dir Ruhm verleiht,                    2460
Er sterbe oder siege – Ich bin Lionel,
Der letzte von den Fürsten unsers Heers,
Und unbezwungen noch ist dieser Arm.
*(Er dringt auf sie ein, nach einem kurzen Gefecht schlägt
sie ihm das Schwert aus der Hand.)*
Treuloses Glück! *(Er ringt mit ihr.)*

J o h a n n a *(ergreift ihn von hinten zu am Helmbusch und
reißt ihm den Helm gewaltsam herunter, daß sein Gesicht
entblößt wird; zugleich zuckt sie das Schwert mit der
Rechten).*        Erleide, was du suchtest,
Die heil'ge Jungfrau opfert dich durch mich!
*(In diesem Augenblicke sieht sie ihm ins Gesicht, sein An-
blick ergreift sie, sie bleibt unbeweglich stehen und läßt
dann langsam den Arm sinken.)*

L i o n e l. Was zauderst du und hemmst den Todesstreich?
Nimm mir das Leben auch, du nahmst den Ruhm,
Ich bin in deiner Hand, ich will nicht Schonung.
*(Sie gibt ihm ein Zeichen mit der Hand, sich zu entfernen.)*
Entfliehen soll ich? *Dir* soll ich mein Leben
Verdanken? – Eher sterben!

J o h a n n a *(mit abgewandtem Gesicht).*
                              Rette dich!                     2470
Ich will nichts davon wissen, daß dein Leben
In meine Macht gegeben war.

L i o n e l. Ich hasse dich und dein Geschenk – Ich will
Nicht Schonung – Töte deinen Feind, der dich
Verabscheut, der dich töten wollte.

J o h a n n a.                          Töte mich
– Und fliehe!

L i o n e l.      Ha! Was ist das?

**Johanna** *(verbirgt das Gesicht).*   Wehe mir!
**Lionel** *(tritt ihr näher).*
  Du tötest, sagt man, alle Engelländer,
  Die du im Kampf bezwingst – Warum nur mich
  Verschonen?
**Johanna** *(erhebt das Schwert mit einer raschen Bewe-*
*gung gegen ihn, läßt es aber, wie sie ihn ins Gesicht faßt,*
*schnell wieder sinken).*
                Heil'ge Jungfrau!
**Lionel.**                Warum nennst du
  Die Heil'ge? Sie weiß *nichts* von dir, der Himmel     2480
  Hat keinen Teil an dir.
**Johanna** *(in der heftigsten Beängstigung).*
                Was hab ich
  Getan! Gebrochen hab ich mein Gelübde!
  *(Sie ringt verzweifelnd die Hände.)*
**Lionel** *(betrachtet sie mit Teilnahme und tritt ihr näher).*
  Unglücklich Mädchen! Ich beklage dich,
  Du rührst mich, du hast Großmut ausgeübt
  An mir allein; ich fühle, daß mein Haß
  Verschwindet, ich muß Anteil an dir nehmen!
  – Wer bist du? Woher kommst du?
**Johanna.**                Fort! Entfliehe!
**Lionel.** Mich jammert deine Jugend, deine Schönheit!
  Dein Anblick dringt mir an das Herz. Ich möchte
  Dich gerne retten – Sage mir, wie kann ich's?     2490
  Komm! Komm! Entsage dieser gräßlichen
  Verbindung – Wirf sie von dir, diese Waffen!
**Johanna.** Ich bin unwürdig, sie zu führen!
**Lionel.**                Wirf
  Sie von dir, schnell, und folge mir!
**Johanna** *(mit Entsetzen).*        Dir folgen!
**Lionel.** Du kannst gerettet werden. Folge mir!
  Ich will dich retten, aber säume nicht.
  Mich faßt ein ungeheurer Schmerz um dich
  Und ein unnennbar Sehnen, dich zu retten –
  *(Bemächtigt sich ihres Armes.)*
**Johanna.** Der Bastard naht! Sie sind's! Sie suchen mich!
  Wenn sie dich finden –
**Lionel.**                Ich beschütze dich!     2500

**J o h a n n a.** Ich sterbe, wenn du fällst von ihren Händen!
**L i o n e l.** Bin ich dir teuer?
**J o h a n n a.**                    Heilige des Himmels!
**L i o n e l.** Werd ich dich wiedersehen? Von dir hören?
**J o h a n n a.**
   Nie! Niemals!
**L i o n e l.**          Dieses Schwert zum Pfand, daß ich
   Dich wiedersehe! *(Er entreißt ihr das Schwert.)*
**J o h a n n a.**          Rasender, du wagst es?
**L i o n e l.** Jetzt weich ich der Gewalt, ich seh dich wieder!
   *(Er geht ab.)*

ELFTER AUFTRITT

*Dunois und La Hire. Johanna.*

**L a  H i r e.** Sie lebt! Sie ist's!
**D u n o i s.**                    Johanna, fürchte nichts!
   Die Freunde stehen mächtig dir zur Seite.
**L a  H i r e.** Flieht dort nicht Lionel?
**D u n o i s.**                    Laß ihn entfliehn!
   Johanna, die gerechte Sache siegt,                    2510
   Reims öffnet seine Tore, alles Volk
   Strömt jauchzend seinem Könige entgegen –
**L a  H i r e.** Was ist der Jungfrau? Sie erbleicht, sie sinkt!
          *(Johanna schwindelt und will sinken.)*
**D u n o i s.** Sie ist verwundet – Reißt den Panzer auf –
   Es ist der Arm, und leicht ist die Verletzung.
**L a  H i r e.** Ihr Blut entfließt.
**J o h a n n a.**                    Laßt es mit meinem Leben
   Hinströmen! *(Sie liegt ohnmächtig in La Hires Armen.)*

# VIERTER AUFZUG

*Ein festlich ausgeschmückter Saal.*
*Die Säulen sind mit Festons umwunden, hinter der Szene Flöten und Hoboen.*

## ERSTER AUFTRITT
### Johanna.

Die Waffen ruhn, des Krieges Stürme schweigen,
Auf blut'ge Schlachten folgt Gesang und Tanz;
Durch alle Straßen tönt der muntre Reigen,     2520
Altar und Kirche prangt in Festes Glanz,
Und Pforten bauen sich aus grünen Zweigen,
Und um die Säule windet sich der Kranz;
Das weite Reims faßt nicht die Zahl der Gäste,
Die wallend strömen zu dem Völkerfeste.

Und *einer* Freude Hochgefühl entbrennet,
Und *ein* Gedanke schlägt in jeder Brust;
Was sich noch jüngst in blut'gem Haß getrennet,
Das teilt entzückt die allgemeine Lust;
Wer nur zum Stamm der Franken sich bekennet     2530
Der ist des Namens stolzer sich bewußt:
Erneuert ist der Glanz der alten Krone,
Und Frankreich huldigt seinem Königssohne.

Doch mich, die all dies Herrliche vollendet,
Mich rührt es nicht, das allgemeine Glück;
Mir ist das Herz verwandelt und gewendet,
Es flieht von dieser Festlichkeit zurück,
Ins brit'sche Lager ist es hingewendet,
Hinüber zu dem Feinde schweift der Blick,
Und aus der Freude Kreis muß ich mich stehlen,     2540
Die schwere Schuld des Busens zu verhehlen.

Wer? Ich? Ich eines Mannes Bild
In meinem reinen Busen tragen?

Dies Herz, von Himmels Glanz erfüllt,
Darf einer ird'schen Liebe schlagen?
Ich, meines Landes Retterin,
Des höchsten Gottes Kriegerin,
Für meines Landes Feind entbrennen!
Darf ich's der keuschen Sonne nennen,
Und mich vernichtet nicht die Scham!                2550
*(Die Musik hinter der Szene geht in eine weiche, schmel-*
*zende Melodie über.)*

Wehe! Weh mir! Welche Töne!
Wie verführen sie mein Ohr!
Jeder ruft mir seine Stimme,
Zaubert mir sein Bild hervor!

Daß der Sturm der Schlacht mich faßte,
Speere sausend mich umtönten
In des heißen Streites Wut!
Wieder fänd' ich meinen Mut!

Diese Stimmen, diese Töne,                          2560
Wie umstricken sie mein Herz,
Jede Kraft in meinem Busen
Lösen sie in weichem Sehnen,
Schmelzen sie in Wehmuts-Tränen!

*(Nach einer Pause lebhafter.)*
Sollt' ich ihn töten? Konnt' ich's, da ich ihm
Ins Auge sah? Ihn töten! Eher hätt' ich
Den Mordstahl auf die eigne Brust gezückt!
Und bin ich strafbar, weil ich menschlich war?
Ist Mitleid Sünde? – Mitleid! Hörtest du
Des Mitleids Stimme und der Menschlichkeit
Auch bei den andern, die dein Schwert geopfert?    2570
Warum verstummte sie, als der Walliser dich,
Der zarte Jüngling, um sein Leben flehte?
Arglistig Herz! Du lügst dem ew'gen Licht,
Dich trieb des Mitleids fromme Stimme nicht!
Warum mußt' ich ihm in die Augen sehn!
Die Züge schaun des edeln Angesichts!
Mit deinem Blick fing dein Verbrechen an,

Unglückliche! Ein blindes Werkzeug fordert Gott,
Mit blinden Augen mußtest du's vollbringen!
Sobald du *sahst*, verließ dich Gottes Schild,          2580
Ergriffen dich der Hölle Schlingen!
*(Die Flöten wiederholen, sie versinkt in eine stille Wehmut.)*

   Frommer Stab! O hätt' ich nimmer
Mit dem Schwerte dich vertauscht!
Hätt' es nie in deinen Zweigen,
Heil'ge Eiche, mir gerauscht!

Wärst du nimmer mir erschienen,
Hohe Himmelskönigin!
Nimm, ich kann sie nicht verdienen,
Deine Krone, nimm sie hin!

   Ach, ich sah den Himmel offen          2590
Und der Sel'gen Angesicht!
Doch auf Erden ist mein Hoffen,
Und im Himmel ist es nicht!
Mußtest du ihn auf mich laden,
Diesen furchtbaren Beruf,
Konnt' ich dieses Herz verhärten,
Das der Himmel fühlend schuf!

   Willst du deine Macht verkünden,
Wähle *sie*, die frei von Sünden
Stehn in deinem ew'gen Haus,          2600
Deine Geister sende aus,
Die Unsterblichen, die Reinen,
Die nicht fühlen, die nicht weinen!
Nicht die zarte Jungfrau wähle,
Nicht der Hirtin weiche Seele!

   Kümmert *mich* das Los der Schlachten,
Mich der Zwist der Könige?
Schuldlos trieb ich meine Lämmer
Auf des stillen Berges Höh'.
Doch du rissest mich ins Leben,          2610
In den stolzen Fürstensaal,
Mich der Schuld dahinzugeben,
Ach! es war nicht meine Wahl!

ZWEITER AUFTRITT

*Agnes Sorel. Johanna.*

S o r e l *(kommt in lebhafter Rührung; wie sie die Jungfrau erblickt, eilt sie auf sie zu und fällt ihr um den Hals; plötzlich besinnt sie sich, läßt sie los und fällt vor ihr nieder).* Nein! Nicht so! Hier im Staub vor dir –

J o h a n n a *(will sie aufheben).*        Steh auf!
Was ist dir? Du vergissest dich und mich.

S o r e l. Laß mich! Es ist der Freude Drang, der mich
Zu deinen Füßen niederwirft – ich muß
Mein überwallend Herz vor Gott ergießen,
Den Unsichtbaren bet ich an in *dir.*
Du bist der Engel, der mir meinen Herrn        2620
Nach Reims geführt und mit der Krone schmückt.
Was ich zu sehen nie geträumt, es ist
Erfüllt! Der Krönungszug bereitet sich,
Der König steht im festlichen Ornat,
Versammelt sind die Pairs, die Mächtigen
Der Krone, die Insignien zu tragen;
Zur Kathedrale wallend strömt das Volk,
Es schallt der Reigen, und die Glocken tönen –
O dieses Glückes Fülle trag ich nicht!
*(Johanna hebt sie sanft in die Höhe. Agnes Sorel hält einen Augenblick inne, indem sie der Jungfrau näher ins Auge sieht.)*
Doch *du* bleibst immer ernst und streng; du kannst        2630
Das Glück erschaffen, doch du teilst es nicht.
Dein Herz ist kalt, du fühlst nicht unsre Freuden,
Du hast der Himmel Herrlichkeit gesehn,
Die reine Brust bewegt kein irdisch Glück.
*(Johanna ergreift ihre Hand mit Heftigkeit, läßt sie aber schnell wieder fahren.)*
O könntest du ein Weib sein und empfinden!
Leg diese Rüstung ab, kein Krieg ist mehr,
Bekenne dich zum sanfteren Geschlechte!
Mein liebend Herz flieht scheu vor dir zurück,
Solange du der strengen Pallas gleichst.

J o h a n n a. Was forderst du von mir!

S o r e l.        Entwaffne dich! 2640

Leg diese Rüstung ab, die Liebe fürchtet
Sich dieser stahlbedeckten Brust zu nahn.
O sei ein Weib, und du wirst Liebe fühlen!

J o h a n n a.
Jetzt soll ich mich entwaffnen! Jetzt! Dem Tod
Will ich die Brust entblößen in der Schlacht!
Jetzt nicht – o möchte siebenfaches Erz
Vor euren Festen, vor mir selbst mich schützen!

S o r e l. Dich liebt Graf Dunois. Sein edles Herz,
Dem Ruhm nur offen und der Heldentugend,
Es glüht für dich in heiligem Gefühl.                         2650
O es ist schön, von einem Helden sich geliebt
Zu sehn – es ist noch schöner, ihn zu lieben!
        *(Johanna wendet sich mit Abscheu hinweg.)*
Du hassest ihn! – Nein, nein, du kannst ihn nur
Nicht lieben – Doch wie solltest du ihn hassen!
Man haßt nur den, der den Geliebten uns
Entreißt, doch dir ist keiner der Geliebte!
Dein Herz ist ruhig – Wenn es fühlen könnte –

J o h a n n a. Beklage mich! Beweine mein Geschick!

S o r e l. Was könnte dir zu deinem Glücke mangeln?
Du hast dein Wort gelöst, Frankreich ist frei,          2660
Bis in die Krönungsstadt hast du den König
Siegreich geführt und hohen Ruhm erstritten;
Dir huldiget, dich preist ein glücklich Volk,
Von allen Zungen überströmend fließt
Dein Lob, du bist die Göttin dieses Festes;
Der König selbst mit seiner Krone strahlt
Nicht herrlicher als du.

J o h a n n a.                 O könnt' ich mich
Verbergen in den tiefsten Schoß der Erde!

S o r e l. Was ist dir? Welche seltsame Bewegung!
Wer dürfte frei aufschaun an diesem Tage,          2670
Wenn *du* die Blicke niederschlagen sollst!
*Mich* laß erröten, mich, die neben dir
So klein sich fühlt, zu deiner Heldenstärke sich,
Zu deiner Hoheit nicht erheben kann!
Denn soll ich meine ganze Schwäche dir
Gestehen? – Nicht der Ruhm des Vaterlandes,
Nicht der erneute Glanz des Thrones, nicht

Der Völker Hochgefühl und Siegesfreude
Beschäftigt dieses schwache Herz. Es ist
Nur *einer*, der es ganz erfüllt, es hat                2680
Nur Raum für dieses einzige Gefühl:
*Er* ist der Angebetete, *ihm* jauchzt das Volk,
*Ihn* segnet es, *ihm* streut es diese Blumen,
Er ist der Meine, der Geliebte ist's.

J o h a n n a.  O du bist glücklich! Selig preise dich!
Du liebst, wo alles liebt! Du darfst dein Herz
Aufschließen, laut aussprechen dein Entzücken
Und offen tragen vor der Menschen Blicken!
Dies Fest des Reichs ist deiner Liebe Fest,
Die Völker alle, die unendlichen,                      2690
Die sich in diesen Mauern flutend drängen,
Sie teilen dein Gefühl, sie heil'gen es;
Dir jauchzen sie, dir flechten sie den Kranz,
Eins bist du mit der allgemeinen Wonne,
Du liebst das Allerfreuende, die Sonne,
Und was du siehst, ist deiner Liebe Glanz!

S o r e l  *(ihr um den Hals fallend).*
O du entzückst mich, du verstehst mich ganz!
Ja, ich verkannte dich, du kennst die Liebe,
Und was ich fühle, sprichst du mächtig aus.
Von seiner Furcht und Scheue löst sich mir            2700
Das Herz, es wallt vertrauend dir entgegen –

J o h a n n a  *(entreißt sich mit Heftigkeit ihren Armen).*
Verlaß mich. Wende dich von mir! Beflecke
Dich nicht mit meiner pesterfüllten Nähe!
Sei glücklich, geh, mich laß in tiefster Nacht
Mein Unglück, meine Schande, mein Entsetzen
Verbergen –

S o r e l.        Du erschreckst mich, ich begreife
Dich nicht; doch ich begriff dich nie – und stets
Verhüllt war mir dein dunkel tiefes Wesen.
Wer möcht' es fassen, was dein heilig Herz,
Der reinen Seele Zartgefühl erschreckt!              2710

J o h a n n a.  *Du* bist die Heilige! *Du* bist die Reine!
Sähst du mein Innerstes, du stießest schaudernd
Die Feindin von dir, die Verräterin!

DRITTER AUFTRITT

*Vorige. Dunois. Du Chatel und La Hire mit der Fahne der*
*Johanna.*

D u n o i s.  Dich suchen wir, Johanna. Alles ist
    Bereit, der König sendet uns, er will,
    Daß du vor ihm die heil'ge Fahne tragest;
    Du sollst dich schließen an der Fürsten Reihn,
    Die Nächste an ihm selber sollst du gehn,
    Denn er verleugnet's nicht, und alle Welt
    Soll es bezeugen, daß er dir allein                    2720
    Die Ehre dieses Tages zuerkennt.
L a  H i r e.  Hier ist die Fahne. Nimm sie, edle Jungfrau,
    Die Fürsten warten, und es harrt das Volk.
J o h a n n a.  Ich vor ihnen herziehn! Ich die Fahne tragen!
D u n o i s.  Wem anders ziemt' es! Welche andre Hand
    Ist rein genug, das Heiligtum zu tragen!
    Du schwangst sie im Gefechte; trage sie
    Zur Zierde nun auf diesem Weg der Freude.
*(La Hire will ihr die Fahne überreichen, sie bebt schaudernd*
           *davor zurück.)*
J o h a n n a.  Hinweg! Hinweg!
L a  H i r e.                              Was ist dir? Du erschrickst
    Vor deiner eignen Fahne! – Sieh sie an!          2730
*(Er rollt die Fahne auseinander.)*
    Es ist dieselbe, die du siegend schwangst.
    Die Himmelskönigin ist drauf gebildet,
    Die über einer Erdenkugel schwebt;
    Denn also lehrte dich's die heil'ge Mutter.
J o h a n n a *(mit Entsetzen hinschauend).*
    Sie ist's! Sie selbst! Ganz so erschien sie mir.
    Seht, wie sie herblickt und die Stirne faltet,
    Zornglühend aus den finstern Wimpern schaut!
S o r e l.  O sie ist außer sich! Komm zu dir selbst!
    Erkenne dich, du siehst nichts Wirkliches!
    Das ist ihr irdisch nachgeahmtes Bild,          2740
    Sie selber wandelt in des Himmels Chören!
J o h a n n a.
    Furchtbare, kommst du dein Geschöpf zu strafen?
    Verderbe, strafe mich, nimm deine Blitze

Und laß sie fallen auf mein schuldig Haupt.
Gebrochen hab ich meinen Bund, entweiht,
Gelästert hab ich deinen heil'gen Namen!
D u n o i s.  Weh uns! Was ist das! Welch unsel'ge Reden!
L a  H i r e  *(erstaunt zu Du Chatel).*
Begreift Ihr diese seltsame Bewegung?
D u  C h a t e l.  Ich sehe, was ich seh. Ich hab es längst
Gefürchtet.
D u n o i s.  Wie? Was sagt Ihr?
D u  C h a t e l.                    Was ich denke,                    2750
Darf ich nicht sagen. Wollte Gott, es wäre
Vorüber, und der König wär' gekrönt!
L a  H i r e.  Wie? Hat der Schrecken, der von dieser Fahne
Ausging, sich auf dich selbst zurückgewendet?
Den Briten laß vor diesem Zeichen zittern,
Den Feinden Frankreichs ist es fürchterlich,
Doch seinen treuen Bürgern ist es gnädig.
J o h a n n a.  Ja, du sagst recht! Den Freunden ist es hold,
Und auf die Feinde sendet es Entsetzen!
          *(Man hört den Krönungsmarsch.)*
D u n o i s.  So nimm die Fahne! Nimm sie! Sie beginnen  2760
Den Zug, kein Augenblick ist zu verlieren!
*(Sie dringen ihr die Fahne auf, sie ergreift sie mit heftigem
     Widerstreben und geht ab, die andern folgen.)*


*Die Szene verwandelt sich in einen freien Platz vor der
                  Kathedralkirche.*


### VIERTER AUFTRITT

*Zuschauer erfüllen den Hintergrund, aus ihnen heraus treten
Bertrand, Claude Marie und Etienne und kommen vorwärts.
Der Krönungsmarsch erschallt gedämpft aus der Ferne.*

B e r t r a n d.  Hört die Musik! Was sind's! Sie nahen schon!
Was ist das Beste? Steigen wir hinauf
Auf die Platforme oder drängen uns
Durchs Volk, daß wir vom Aufzug nichts verlieren?
E t i e n n e.  Es ist nicht durchzukommen. Alle Straßen sind

Von Menschen vollgedrängt, zu Roß und Wagen.
Laßt uns hieher an diese Häuser treten;
Hier können wir den Zug gemächlich sehen,
Wenn er vorüberkommt.
C l a u d e   M a r i e.            Ist's doch, als ob            2770
Halb Frankreich sich zusammen hier gefunden!
So allgewaltig ist die Flut, daß sie
Auch uns im fernen lothringischen Land
Hat aufgehoben und hieher gespült!
B e r t r a n d.                  Wer wird
In seinem Winkel müßig sitzen, wenn
Das Große sich begibt im Vaterland!
Es hat auch Schweiß und Blut genug gekostet,
Bis daß die Krone kam aufs rechte Haupt!
Und *unser* König, der der wahre ist,
Dem wir die Kron' itzt geben, soll nicht schlechter            2780
Begleitet sein als der Pariser ihrer,
Den sie zu Saint Denis gekrönt! Der ist
Kein Wohlgesinnter, der von diesem Fest
Wegbleibt und nicht mit ruft: es lebe der König!

FÜNFTER AUFTRITT

*Margot und Louison treten zu den Vorigen.*

L o u i s o n. Wir werden unsre Schwester sehen, Margot!
Mir pocht das Herz.
M a r g o t.            Wir werden sie im Glanz
Und in der Hoheit sehn und zu uns sagen:
Es ist Johanna, es ist unsre Schwester!
L o u i s o n. Ich kann's nicht glauben, bis ich sie mit Augen
Gesehn, daß diese Mächtige, die man            2790
Die Jungfrau nennt von Orleans, unsre Schwester
Johanna ist, die uns verlorenging.
        (*Der Marsch kommt immer näher.*)
M a r g o t. Du zweifelst noch! Du wirst's mit Augen sehn!
B e r t r a n d. Gebt acht! Sie kommen!

### SECHSTER AUFTRITT

*Flötenspieler und Hoboisten eröffnen den Zug. Kinder folgen, weiß gekleidet, mit Zweigen in der Hand, hinter diesen zwei Herolde. Darauf ein Zug von Hellebardierern. Magistratspersonen in der Robe folgen. Hierauf zwei Marschälle mit dem Stabe, Herzog von Burgund, das Schwert tragend, Dunois mit dem Zepter, andere Große mit der Krone, dem Reichsapfel und dem Gerichtsstabe, andere mit Opfergaben; hinter diesen Ritter in ihrem Ordensschmuck, Chorknaben mit dem Rauchfaß, dann zwei Bischöfe mit der Sainte Ampoule, Erzbischof mit dem Kruzifix; ihm folgt Johanna mit der Fahne. Sie geht mit gesenktem Haupt und ungewissen Schritten, die Schwestern geben bei ihrem Anblick Zeichen des Erstaunens und der Freude. Hinter ihr kommt der König, unter einem Thronhimmel, welchen vier Barone tragen; Hofleute folgen, Soldaten schließen. Wenn der Zug in die Kirche hinein ist, schweigt der Marsch.*

### SIEBENTER AUFTRITT

*Louison. Margot. Claude Marie. Etienne. Bertrand.*

M a r g o t. Sahst du die Schwester?
C l a u d e   M a r i e.            Die im goldnen Harnisch,
   Die vor dem König herging mit der Fahne!
M a r g o t. Sie war's. Es war Johanna, unsre Schwester!
L o u i s o n. Und sie erkannt' uns nicht! Sie ahnete
   Die Nähe nicht der schwesterlichen Brust.
   Sie sah zur Erde und erschien so blaß,                    2800
   Und unter ihrer Fahne ging sie zitternd –
   Ich konnte mich nicht freun, da ich sie sah.
M a r g o t. So hab ich unsre Schwester nun im Glanz
   Und in der Herrlichkeit gesehn. – Wer hätte
   Auch nur im Traum geahnet und gedacht,
   Da sie die Herde trieb auf unsern Bergen,
   Daß wir in solcher Pracht sie würden schauen.
L o u i s o n. Der Traum des Vaters ist erfüllt, daß wir
   Zu Reims uns vor der Schwester würden neigen.
   Das ist die Kirche, die der Vater sah                     2810

Im Traum, und alles hat sich nun erfüllt.
Doch der Vater sah auch traurige Gesichte –
Ach, mich bekümmert's, sie so groß zu sehn!
B e r t r a n d.
Was stehn wir müßig hier? Kommt in die Kirche,
Die heil'ge Handlung anzusehn!
M a r g o t.                          Ja, kommt!
Vielleicht, daß wir der Schwester dort begegnen.
L o u i s o n. Wir haben sie gesehen, kehren wir
In unser Dorf zurück.
M a r g o t.                 Was? Eh' wir sie
Begrüßt und angeredet?
L o u i s o n.            Sie gehört
Uns nicht mehr an, bei Fürsten ist ihr Platz          2820
Und Königen – Wer sind wir, daß wir uns
Zu ihrem Glanze rühmend eitel drängen?
Sie war uns fremd, da sie noch unser war!
M a r g o t. Wird sie sich unser schämen, uns verachten?
B e r t r a n d. Der König selber schämt sich unser nicht,
Er grüßte freundlich auch den Niedrigsten.
Sei sie so hoch gestiegen, als sie will –
Der König ist doch größer!
          *(Trompeten und Pauken erschallen aus der Kirche.)*
C l a u d e  M a r i e.          Kommt zur Kirche!
*(Sie eilen nach dem Hintergrund, wo sie sich unter dem*
          *Volke verlieren).*


ACHTER AUFTRITT

*Thibaut kommt, schwarz gekleidet, Raimond folgt ihm und*
          *will ihn zurücke halten.*

R a i m o n d.
Bleibt, Vater Thibaut! Bleibt aus dem Gedränge
Zurück! Hier seht Ihr lauter frohe Menschen,          2830
Und Euer Gram beleidigt dieses Fest.
Kommt! Fliehn wir aus der Stadt mit eil'gen Schritten!
T h i b a u t. Sahst du mein unglückselig Kind? Hast du
Sie recht betrachtet?
R a i m o n d.          O ich bitt Euch, flieht!

T h i b a u t. Bemerktest du, wie ihre Schritte wankten,
  Wie bleich und wie verstört ihr Antlitz war!
  Die Unglückselige fühlt ihren Zustand;
  Das ist der Augenblick, mein Kind zu retten,
  Ich will ihn nutzen. *(Er will gehen.)*
R a i m o n d.       Bleibt! Was wollt Ihr tun?
T h i b a u t. Ich will sie überraschen, will sie stürzen   2840
  Von ihrem eiteln Glück, ja mit Gewalt
  Will ich zu ihrem Gott, dem sie entsagt,
  Zurück sie führen.
R a i m o n d.       Ach! Erwägt es wohl!
  Stürzt Euer eigen Kind nicht ins Verderben!
T h i b a u t. Lebt ihre Seele nur, ihr Leib mag sterben.
  *(Johanna stürzt aus der Kirche heraus, ohne ihre Fahne;*
  *Volk dringt zu, adoriert sie und küßt ihre Kleider, sie*
  *wird durch das Gedränge im Hintergrunde aufgehalten.)*
  Sie kommt! Sie ist's! Bleich stürzt sie aus der Kirche,
  Es treibt die Angst sie aus dem Heiligtum –
  Das ist das göttliche Gericht, das sich
  An ihr verkündiget! –
R a i m o n d.       Lebt wohl!
  Verlangt nicht, daß ich länger Euch begleite!   2850
  Ich kam voll Hoffnung, und ich geh voll Schmerz.
  Ich habe Eure Tochter wiedergesehn
  Und fühle, daß ich sie aufs neu verliere!
*(Er geht ab, Thibaut entfernt sich auf der entgegengesetzten*
*Seite.)*

### NEUNTER AUFTRITT

*Johanna. Volk. Hernach ihre Schwestern.*

J o h a n n a *(hat sich des Volks erwehrt und kommt vor-*
  *wärts).* Ich kann nicht bleiben – Geister jagen mich,
  Wie Donner schallen mir der Orgel Töne,
  Des Doms Gewölbe stürzen auf mich ein –
  Des freien Himmels Weite muß ich suchen!
  Die Fahne ließ ich in dem Heiligtum,
  Nie, nie soll diese Hand sie mehr berühren!
  – Mir war's, als hätt' ich die geliebten Schwestern,   2860

Margot und Louison, gleich einem Traum
An mir vorübergleiten sehen. – Ach!
Es war nur eine täuschende Erscheinung!
Fern sind sie, fern und unerreichbar weit,
Wie meiner Kindheit, meiner Unschuld Glück!

M a r g o t *(hervortretend).*
Sie ist's, Johanna ist's.
L o u i s o n *(eilt ihr entgegen).*
                              O meine Schwester!
J o h a n n a.
So war's kein Wahn – Ihr seid es – Ich umfaß euch,
Dich, meine Louison! Dich, meine Margot!
Hier in der fremden, menschenreichen Öde
Umfang ich die vertraute Schwesterbrust!          2870
M a r g o t. Sie kennt uns noch, ist noch die gute Schwester.
J o h a n n a. Und eure Liebe führt euch zu mir her
So weit, so weit! Ihr zürnt der Schwester nicht,
Die lieblos ohne Abschied euch verließ!
L o u i s o n. Dich führte Gottes dunkle Schickung fort.
M a r g o t. Der Ruf von dir, der alle Welt bewegt,
Der deinen Namen trägt auf aller Zungen,
Hat uns erweckt in unserm stillen Dorf
Und hergeführt zu dieses Festes Feier.
Wir kommen, deine Herrlichkeit zu sehn,          2880
Und wir sind nicht allein!
J o h a n n a *(schnell).*       Der Vater ist mit euch!
Wo, wo ist er? Warum verbirgt er sich?
M a r g o t. Der Vater ist nicht mit uns.
J o h a n n a.                        Nicht? Er will sein Kind
Nicht sehn? Ihr bringt mir seinen Segen nicht?
L o u i s o n. Er weiß nicht, daß wir hier sind.
J o h a n n a.                        Weiß es nicht!
Warum nicht? – Ihr verwirret euch? Ihr schweigt
Und seht zur Erde! Sagt, wo ist der Vater?
M a r g o t. Seitdem du weg bist –
L o u i s o n *(winkt ihr).*       Margot!
M a r g o t.                        Ist der Vater
Schwermütig worden.
J o h a n n a.        Schwermütig!
L o u i s o n.                        Tröste dich!

Du kennst des Vaters ahnungsvolle Seele!     2890
Er wird sich fassen, sich zufriedengeben,
Wenn wir ihm sagen, daß du glücklich bist.

M a r g o t. Du bist doch glücklich? Ja, du mußt es sein,
Da du so groß bist und geehrt!

J o h a n n a.                 Ich bin's,
Da ich *euch* wiedersehe, eure Stimme
Vernehme, den geliebten Ton, mich heim
Erinnre an die väterliche Flur.
Da ich die Herde trieb auf unsern Höhen,
Da war ich glücklich wie im Paradies –
Kann ich's nicht wieder sein, nicht wieder werden!     2900

*(Sie verbirgt ihr Gesicht an Louisons Brust. Claude Marie,
Etienne und Bertrand zeigen sich und bleiben schüchtern in
der Ferne stehen.)*

M a r g o t. Kommt, Etienne! Bertrand! Claude Marie!
Die Schwester ist nicht stolz, sie ist so sanft
Und spricht so freundlich, als sie nie getan,
Da sie noch in dem Dorf mit uns gelebt.

*(Jene treten näher und wollen ihr die Hand reichen, Johanna
sieht sie mit starren Blicken an und fällt in ein tiefes Staunen.)*

J o h a n n a. Wo war ich? Sagt mir! War das alles nur
Ein langer Traum, und ich bin aufgewacht?
Bin ich hinweg aus Dom Remi? Nicht wahr!
Ich war entschlafen unterm Zauberbaum
Und bin erwacht, und ihr steht um mich her,
Die wohlbekannten traulichen Gestalten?     2910
Mir hat von diesen Königen und Schlachten
Und Kriegestaten nur geträumt – es waren
Nur Schatten, die an mir vorübergingen,
Denn lebhaft träumt sich's unter diesem Baum.
Wie kämet ihr nach Reims? Wie käm' ich selbst
Hieher? Nie, nie verließ ich Dom Remi!
Gesteht mir's offen und erfreut mein Herz.

L o u i s o n. Wir *sind* zu Reims. Dir hat von diesen Taten
Nicht bloß geträumt, du hast sie alle wirklich
Vollbracht. – Erkenne dich, blick um dich her,     2920
Befühle deine glänzend goldne Rüstung!

*(Johanna fährt mit der Hand nach der Brust, besinnt sich
und erschrickt.)*

**B e r t r a n d.** Aus meiner Hand empfingt Ihr diesen Helm.
**C l a u d e  M a r i e.**
   Es ist kein Wunder, daß Ihr denkt zu träumen,
   Denn was Ihr ausgerichtet und getan,
   Kann sich im Traum nicht wunderbarer fügen.
**J o h a n n a** *(schnell)*.
   Kommt, laßt uns fliehn! Ich geh mit euch, ich kehre
   In unser Dorf, in Vaters Schoß zurück.
**L o u i s o n.** O komm! komm mit uns!
**J o h a n n a.**                 Diese Menschen alle
   Erheben mich weit über mein Verdienst!
   Ihr habt mich kindisch, klein und schwach gesehn:    2930
   Ihr liebt mich, doch ihr betet mich nicht an!
**M a r g o t.** Du wolltest allen diesen Glanz verlassen!
**J o h a n n a.** Ich werf ihn von mir, den verhaßten Schmuck,
   Der euer Herz von meinem Herzen trennt,
   Und eine Hirtin will ich wieder werden.
   Wie eine niedre Magd will ich euch dienen,
   Und büßen will ich's mit der strengsten Buße,
   Daß ich mich eitel über euch erhob!
         *(Trompeten erschallen.)*

### ZEHNTER AUFTRITT

*Der König tritt aus der Kirche; er ist im Krönungsornat.
Agnes Sorel, Erzbischof, Burgund, Dunois, La Hire, Du Chatel, Ritter, Hofleute und Volk.*

**A l l e  S t i m m e n** *(rufen wiederholt, während daß der
   König vorwärts kommt).*
   Es lebe der König! Karl der Siebente!
*(Trompeten fallen ein. Auf ein Zeichen, das der König gibt,
gebieten die Herolde mit erhobenem Stabe Stillschweigen.)*
**K ö n i g.** Mein gutes Volk! Habt Dank für eure Liebe! 2940
   Die Krone, die uns Gott aufs Haupt gesetzt,
   Durchs Schwert ward sie gewonnen und erobert,
   Mit edelm Bürgerblut ist sie benetzt,
   Doch friedlich soll der Ölzweig sie umgrünen.
   Gedankt sei allen, die für uns gefochten,
   Und allen, die uns widerstanden, sei

Verziehn, denn Gnade hat uns Gott erzeigt,
Und unser erstes Königswort sei – Gnade!

**V o l k.** Es lebe der König! Karl der Gütige!

**K ö n i g.** Von Gott allein, dem höchsten Herrschenden, 2950
Empfangen Frankreichs Könige die Krone.
Wir aber haben sie *sichtbarer* Weise
Aus seiner Hand empfangen.
*(Zur Jungfrau sich wendend.)*
Hier steht die Gottgesendete, die euch
Den angestammten König wiedergab,
Das Joch der fremden Tyrannei zerbrochen!
Ihr Name soll dem heiligen Denis
Gleich sein, der dieses Landes Schützer ist,
Und ein Altar sich ihrem Ruhm erheben!

**V o l k.** Heil, Heil der Jungfrau, der Erretterin! 2960
*(Trompeten.)*

**K ö n i g** *(zur Johanna).*
Wenn du von Menschen bist gezeugt wie wir,
So sage, welches Glück dich kann erfreuen;
Doch wenn dein Vaterland dort oben ist,
Wenn du die Strahlen himmlischer Natur
In diesem jungfräulichen Leib verhüllst,
So nimm das Band hinweg von unsern Sinnen
Und laß dich sehn in deiner Lichtgestalt,
Wie dich der Himmel sieht, daß wir anbetend
Im Staube dich verehren.
*(Ein allgemeines Stillschweigen, jedes Auge ist auf die Jung-*
*frau gerichtet.)*

**J o h a n n a** *(plötzlich aufschreiend).*
                    Gott! Mein Vater!

### ELFTER AUFTRITT

*Die Vorigen. Thibaut tritt aus der Menge und steht Johanna*
*gerade gegenüber.*

**M e h r e r e   S t i m m e n.** Ihr Vater!

**T h i b a u t.**                    Ja, ihr jammervoller Vater,
Der die Unglückliche gezeugt, den Gottes                    2971
Gericht hertreibt, die eigne Tochter anzuklagen.

B u r g u n d.  Ha! Was ist das!
D u C h a t e l.                      Jetzt wird es schrecklich tagen!
T h i b a u t  *(zum König).*
  Gerettet glaubst du dich durch Gottes Macht?
  Betrogner Fürst! Verblendet Volk der Franken!
  Du bist gerettet durch des Teufels Kunst.
            *(Alle treten mit Entsetzen zurück.)*
D u n o i s.  Rast dieser Mensch?
T h i b a u t.                      Nicht ich, du aber rasest,
  Und diese hier, und dieser weise Bischof,
  Die glauben, daß der Herr der Himmel sich
  Durch eine schlechte Magd verkünden werde.          2980
  Laß sehn, ob sie auch in des Vaters Stirn
  Der dreisten Lüge Gaukelspiel behauptet,
  Womit sie Volk und König hinterging.
  Antworte mir im Namen des Dreieinen:
  Gehörst du zu den Heiligen und Reinen?
*(Allgemeine Stille, alle Blicke sind auf sie gespannt; sie steht
                        unbeweglich.)*
S o r e l.  Gott, sie verstummt!
T h i b a u t.            Das muß sie vor dem furchtbarn Namen,
  Der in der Hölle Tiefen selbst
  Gefürchtet wird! – Sie eine Heilige,
  Von Gott gesendet! – An verfluchter Stätte          2990
  Ward es ersonnen, unterm Zauberbaum,
  Wo schon von alters her die bösen Geister
  Den Sabbat halten – hier verkaufte sie
  Dem Feind der Menschen ihr unsterblich Teil,
  Daß er mit kurzem Weltruhm sie verherrliche.
  Laßt sie den Arm aufstreifen, seht die Punkte,
  Womit die Hölle sie gezeichnet hat!
B u r g u n d.
  Entsetzlich! – Doch dem Vater muß man glauben,
  Der wider seine eigne Tochter zeugt!
D u n o i s.  Nein, nicht zu glauben ist dem Rasenden,
  Der in dem eignen Kind sich selber schändet!          3000
S o r e l  *(zur Johanna).*
  O rede! Brich dies unglücksel'ge Schweigen!
  Wir glauben dir! Wir trauen fest auf dich!
  Ein Wort aus deinem Mund, ein einzig Wort

Soll uns genügen – Aber sprich! Vernichte
Die gräßliche Beschuldigung – Erkläre,
Du seist unschuldig, und wir glauben dir.

*(Johanna steht unbeweglich, Agnes Sorel tritt mit Entsetzen*
*von ihr hinweg.)*

L a   H i r e.  Sie ist erschreckt. Erstaunen und Entsetzen
Schließt ihr den Mund. – Vor solcher gräßlichen
Anklage muß die Unschuld selbst erbeben.

*(Er nähert sich ihr.)*

Faß dich, Johanna. Fühle dich. Die Unschuld          3010
Hat eine Sprache, einen Siegerblick,
Der die Verleumdung mächtig niederblitzt!
In edelm Zorn erhebe dich, blick auf,
Beschäme, strafe den unwürd'gen Zweifel,
Der deine heil'ge Tugend schmäht.

*(Johanna steht unbeweglich. La Hire tritt entsetzt zurück,*
*die Bewegung vermehrt sich.)*

D u n o i s.
Was zagt das Volk? Was zittern selbst die Fürsten?
Sie ist unschuldig – Ich verbürge mich,
Ich selbst, für sie mit meiner Fürstenehre!
Hier werf ich meinen Ritterhandschuh hin:
Wer wagt's, sie eine Schuldige zu nennen?          3020

*(Ein heftiger Donnerschlag, alle stehen entsetzt.)*

T h i b a u t.  Antworte bei dem Gott, der droben donnert!
Sprich, du seist schuldlos. Leugn' es, daß der Feind
In deinem Herzen ist, und straf mich Lügen!

*(Ein zweiter, stärkerer Schlag; das Volk entflieht zu allen*
*Seiten.)*

B u r g u n d.  Gott schütz' uns! Welche fürchterliche Zeichen!
D u  C h a t e l  *(zum König).*
Kommt! Kommt, mein König! Fliehet diesen Ort!
E r z b i s c h o f  *(zur Johanna).*
Im Namen Gottes frag ich dich: Schweigst du
Aus dem Gefühl der Unschuld oder Schuld?
Wenn dieses Donners Stimme *für* dich zeugt,
So fasse dieses Kreuz und gib ein Zeichen!

*(Johanna bleibt unbeweglich. Neue heftige Donnerschläge.*
*Der König, Agnes Sorel, Erzbischof, Burgund, La Hire und*
*Du Chatel gehen ab.)*

### ZWÖLFTER AUFTRITT

#### Dunois. Johanna.

D u n o i s.  Du bist mein Weib – Ich hab an dich geglaubt
   Beim ersten Blick, und also denk ich noch.                    3031
   Dir glaub ich mehr als diesen Zeichen allen,
   Als diesem Donner selbst, der droben spricht.
   Du schweigst in edelm Zorn, verachtest es,
   In deine heil'ge Unschuld eingehüllt,
   So schändlichen Verdacht zu widerlegen.
   – Veracht es, aber *mir* vertraue dich,
   An deiner Unschuld hab ich nie gezweifelt.
   Sag mir kein Wort, die Hand nur reiche mir
   Zum Pfand und Zeichen, daß du meinem Arme                   3040
   Getrost vertraust und deiner guten Sache.
*(Er reicht ihr die Hand hin, sie wendet sich mit einer zucken-*
*den Bewegung von ihm hinweg; er bleibt in starrem Ent-*
*setzen stehen.)*

### DREIZEHNTER AUFTRITT

#### Johanna. Du Chatel. Dunois. Zuletzt Raimond.

D u  C h a t e l *(zurückkommend).*
   Johanna d'Arc! Der König will erlauben,
   Daß Ihr die Stadt verlasset ungekränkt.
   Die Tore stehn Euch offen. Fürchtet keine
   Beleidigung. Euch schützt des Königs Frieden –
   Folgt mir, Graf Dunois – Ihr habt nicht Ehre,
   Hier länger zu verweilen – Welch ein Ausgang!
*(Er geht. Dunois fährt aus seiner Erstarrung auf, wirft noch*
*einen Blick auf Johanna und geht ab. Diese steht einen*
*Augenblick ganz allein. Endlich erscheint Raimond, bleibt*
*eine Weile in der Ferne stehen und betrachtet sie mit stillem*
*Schmerz. Dann tritt er auf sie zu und faßt sie bei der Hand.)*
R a i m o n d.
   Ergreift den Augenblick. Kommt! Kommt! Die Straßen
   Sind leer. Gebt mir die Hand. Ich will Euch führen.
*(Bei seinem Anblick gibt sie das erste Zeichen der Empfin-*
*dung, sieht ihn starr an und blickt zum Himmel; dann er-*
*greift sie ihn heftig bei der Hand und geht ab.)*

# FÜNFTER AUFZUG

*Ein wilder Wald.*

*In der Ferne Köhlerhütten. Es ist ganz dunkel, heftiges Donnern und Blitzen, dazwischen Schießen.*

## ERSTER AUFTRITT
*Köhler und Köhlerweib.*

**Köhler.** Das ist ein grausam, mördrisch Ungewitter, 3050
  Der Himmel droht in Feuerbächen sich
  Herabzugießen, und am hellen Tag
  Ist's Nacht, daß man die Sterne könnte sehn.
  Wie eine losgelaßne Hölle tobt
  Der Sturm, die Erde bebt, und krachend beugen
  Die alt verjährten Eschen ihre Krone.
  Und dieser fürchterliche Krieg dort oben,
  Der auch die wilden Tiere Sanftmut lehrt,
  Daß sie sich zahm in ihre Gruben bergen,
  Kann unter Menschen keinen Frieden stiften – 3060
  Aus dem Geheul der Winde und des Sturms
  Heraus hört ihr das Knallen des Geschützes;
  Die beiden Heere stehen sich so nah,
  Daß nur der Wald sie trennt, und jede Stunde
  Kann es sich blutig fürchterlich entladen.
**Köhlerweib.** Gott steh' uns bei! Die Feinde waren ja
  Schon ganz aufs Haupt geschlagen und zerstreut –
  Wie kommt's, daß sie aufs neu uns ängstigen?
**Köhler.**
  Das macht, weil sie den König nicht mehr fürchten.
  Seitdem das Mädchen eine Hexe ward 3070
  Zu Reims, der böse Feind uns nicht mehr hilft,
  Geht alles rückwärts.
**Köhlerweib.**     Horch! Wer naht sich da?

### ZWEITER AUFTRITT

*Raimond und Johanna zu den Vorigen.*

R a i m o n d.
Hier seh ich Hütten. Kommt, hier finden wir
Ein Obdach vor dem wüt'gen Sturm. Ihr haltet's
Nicht länger aus, drei Tage schon seid Ihr
Herumgeirrt, der Menschen Auge fliehend,
Und wilde Wurzeln waren Eure Speise.
        *(Der Sturm legt sich, es wird hell und heiter.)*
Es sind mitleid'ge Köhler. Kommt herein.
K ö h l e r. Ihr scheint der Ruhe zu bedürfen. Kommt!
Was unser schlechtes Dach vermag, ist euer.                    3080
K ö h l e r w e i b.
Was will die zarte Jungfrau unter Waffen?
Doch freilich! Jetzt ist eine schwere Zeit,
Wo auch das Weib sich in den Panzer steckt!
Die Königin selbst, Frau Isabeau, sagt man,
Läßt sich gewaffnet sehn in Feindes Lager,
Und eine Jungfrau, eines Schäfers Dirn',
Hat für den König unsern Herrn gefochten.
K ö h l e r. Was redet Ihr? Geht in die Hütte, bringt
Der Jungfrau einen Becher zur Erquickung.
        *(Köhlerweib geht nach der Hütte.)*
R a i m o n d *(zur Johanna).*
Ihr seht, es sind nicht alle Menschen grausam,                3090
Auch in der Wildnis wohnen sanfte Herzen.
Erheitert Euch! Der Sturm hat ausgetobt,
Und friedlich strahlend geht die Sonne nieder.
K ö h l e r. Ich denk, ihr wollt zu unsers Königs Heer,
Weil ihr in Waffen reiset – Seht euch vor!
Die Engelländer stehen nah gelagert,
Und ihre Scharen streifen durch den Wald.
R a i m o n d.
Weh uns! Wie ist da zu entkommen?
K ö h l e r.                                    Bleibt,
Bis daß mein Bub zurück ist aus der Stadt.
Der soll euch auf verborgnen Pfaden führen,                   3100
Daß ihr nichts zu befürchten habt. Wir kennen
Die Schliche.

R a i m o n d *(zur Johanna).*
>          Legt den Helm ab und die Rüstung;
>  Sie macht Euch kenntlich und beschützt Euch nicht.
>          *(Johanna schüttelt den Kopf.)*
K ö h l e r .
>  Die Jungfrau ist sehr traurig – Still! Wer kommt da?


### DRITTER AUFTRITT

*Vorige. Köhlerweib kommt aus der Hütte mit einem Becher.*
*Köhlerbub.*

K ö h l e r w e i b . Es ist der Bub, den wir zurückerwarten.
>  *(Zur Johanna.)*
>  Trinkt, edle Jungfrau! Mög's Euch Gott gesegnet!
K ö h l e r *(zu seinem Sohn).*
>  Kommst du, Anet? Was bringst du?
K ö h l e r b u b *(hat die Jungfrau ins Auge gefaßt, welche*
>  *eben den Becher an den Mund setzt; er erkennt sie, tritt*
>  *auf sie zu und reißt ihr den Becher vom Munde).*
>                       Mutter! Mutter!
>  Was macht Ihr? Wen bewirtet Ihr? Das ist die Hexe
>  Von Orleans!
K ö h l e r und K ö h l e r w e i b .
>              Gott sei uns gnädig!
>  *(Bekreuzen sich und entfliehen.)*


### VIERTER AUFTRITT

*Raimond. Johanna.*

J o h a n n a *(gefaßt und sanft).*
>  Du siehst, mir folgt der Fluch, und alles flieht mich;   3110
>  Sorg für dich selber und verlaß mich auch.
R a i m o n d . Ich Euch verlassen! Jetzt! Und wer soll Euer
>  Begleiter sein?
J o h a n n a .    Ich bin nicht unbegleitet.
>  Du hast den Donner über mir gehört.
>  Mein Schicksal führt mich. Sorge nicht, ich werde
>  Ans Ziel gelangen, ohne daß ich's suche.

R a i m o n d. Wo wollt Ihr hin? Hier stehn die Engelländer,
  Die Euch die grimmig blut'ge Rache schwuren –
  Dort stehn die Unsern, die Euch ausgestoßen,
  Verbannt –
J o h a n n a.    Mich wird nichts treffen, als was sein muß.
R a i m o n d.
  Wer soll Euch Nahrung suchen? Wer Euch schützen   3121
  Vor wilden Tieren und noch wildern Menschen?
  Euch pflegen, wenn Ihr krank und elend werdet?
J o h a n n a. Ich kenne alle Kräuter, alle Wurzeln;
  Von meinen Schafen lernt' ich das Gesunde
  Vom Gift'gen unterscheiden – ich verstehe
  Den Lauf der Sterne und der Wolken Zug,
  Und die verborgnen Quellen hör ich rauschen.
  Der Mensch braucht wenig, und an Leben reich
  Ist die Natur.
R a i m o n d *(faßt sie bei der Hand).*
                 Wollt Ihr nicht in Euch gehn?        3130
  Euch nicht mit Gott versöhnen – in den Schoß
  Der heil'gen Kirche reuend wiederkehren?
J o h a n n a.
  Auch du hältst mich der schweren Sünde schuldig?
R a i m o n d. Muß ich nicht? Euer schweigendes Geständnis –
J o h a n n a. Du, der mir in das Elend nachgefolgt,
  Das einz'ge Wesen, das mir treu geblieben,
  Sich an mich kettet, da mich alle Welt
  Ausstieß, du hältst mich auch für die Verworfne,
  Die ihrem Gott entsagt –
                 *(Raimond schweigt.)*
                         O das ist hart!
R a i m o n d *(erstaunt).*
  Ihr wäret wirklich keine Zauberin?                  3140
J o h a n n a. Ich eine Zauberin!
R a i m o n d.                  Und diese Wunder,
  Ihr hättet sie vollbracht mit Gottes Kraft
  Und seiner Heiligen?
J o h a n n a.        Mit welcher sonst!
R a i m o n d. Und Ihr verstummtet auf die gräßliche
  Beschuldigung? – Ihr redet jetzt, und vor dem König,
  Wo es zu reden galt, verstummtet Ihr!

**J o h a n n a.** Ich unterwarf mich schweigend dem Geschick,
Das Gott, mein Meister, über mich verhängte.
**R a i m o n d.** Ihr konntet Eurem Vater nichts erwidern!
**J o h a n n a.** Weil es vom Vater kam, so kam's von Gott,
Und väterlich wird auch die Prüfung sein.                      3151
**R a i m o n d.** Der Himmel selbst bezeugte Eure Schuld!
**J o h a n n a.** Der Himmel sprach, drum schwieg ich.
**R a i m o n d.**                              Wie? Ihr konntet
Mit einem Wort Euch reinigen, und ließt
Die Welt in diesem unglücksel'gen Irrtum?
**J o h a n n a.** Es war kein Irrtum, eine Schickung war's.
**R a i m o n d.** Ihr littet alle diese Schmach unschuldig,
Und keine Klage kam von Euren Lippen!
– Ich staune über Euch, ich steh erschüttert,
Im tiefsten Busen kehrt sich mir das Herz!                     3160
O gerne nehm ich Euer Wort für Wahrheit,
Denn schwer ward mir's, an Eure Schuld zu glauben,
Doch konnt' ich träumen, daß ein menschlich Herz
Das Ungeheure schweigend würde tragen!
**J o h a n n a.** Verdient' ich's, die Gesendete zu sein,
Wenn ich nicht blind des Meisters Willen ehrte?
Und ich bin nicht so elend, als du glaubst.
Ich leide Mangel, doch das ist kein Unglück
Für meinen Stand; ich bin verbannt und flüchtig,
Doch in der Öde lernt' ich mich erkennen.                      3170
Da, als der Ehre Schimmer mich umgab,
Da war der Streit in meiner Brust; ich war
Die Unglückseligste, da ich der Welt
Am meisten zu beneiden schien – Jetzt bin ich
Geheilt, und dieser Sturm in der Natur,
Der ihr das Ende drohte, war mein Freund,
Er hat die Welt gereinigt und auch mich.
In mir ist Friede – Komme, was da will,
Ich bin mir keiner Schwachheit mehr bewußt!
**R a i m o n d.**
O kommt, kommt, laßt uns eilen, Eure Unschuld               3180
Laut, laut vor aller Welt zu offenbaren!
**J o h a n n a.** Der die Verwirrung sandte, wird sie lösen!
Nur wenn sie reif ist, fällt des Schicksals Frucht!
Ein Tag wird kommen, der mich reiniget.

Und die mich jetzt verworfen und verdammt,
Sie werden ihres Wahnes innewerden,
Und Tränen werden meinem Schicksal fließen.
R a i m o n d. Ich sollte schweigend dulden, bis der Zufall –
J o h a n n a *(ihn sanft bei der Hand fassend).*
Du siehst nur das Natürliche der Dinge,
Denn deinen Blick umhüllt das ird'sche Band.                3190
Ich habe das Unsterbliche mit Augen
Gesehen – ohne Götter fällt kein Haar
Vom Haupt des Menschen – Siehst du dort die Sonne
Am Himmel niedergehen – So gewiß
Sie morgen wiederkehrt in ihrer Klarheit,
So unausbleiblich kommt der Tag der Wahrheit!


### FÜNFTER AUFTRITT

*Die Vorigen. Königin Isabeau mit Soldaten erscheint im
        Hintergrund.*

I s a b e a u *(noch hinter der Szene).*
Dies ist der Weg ins engelländ'sche Lager!
R a i m o n d. Weh uns! Die Feinde!
*(Soldaten treten auf, bemerken im Hervorkommen die Jo-
    hanna und taumeln erschrocken zurück.)*
I s a b e a u.                              Nun! was hält der Zug!
S o l d a t e n. Gott steh uns bei!
I s a b e a u.                          Erschreckt euch ein Gespenst?
Seid ihr Soldaten? Memmen seid ihr! – Wie?        3200
*(Sie drängt sich durch die andern, tritt hervor und fährt
    zurück, wie sie die Jungfrau erblickt.)*
Was seh ich! Ha!
*(Schnell faßt sie sich und tritt ihr entgegen.)*
                        Ergib dich! Du bist meine
Gefangene.
J o h a n n a.   Ich bin's.
    *(Raimond entflieht mit Zeichen der Verzweiflung.)*
I s a b e a u *(zu den Soldaten).*
                    Legt sie in Ketten!
*(Die Soldaten nahen sich der Jungfrau schüchtern, sie
    reicht den Arm hin und wird gefesselt.)*

Ist das die Mächtige, Gefürchtete,
Die eure Scharen wie die Lämmer scheuchte,
Die jetzt sich selber nicht beschützen kann?
Tut sie nur Wunder, wo man Glauben hat,
Und wird zum Weib, wenn ihr ein Mann begegnet?
(*Zur Jungfrau.*)
Warum verließest du dein Heer? Wo bleibt
Graf Dunois, dein Ritter und Beschützer?

Johanna. Ich bin verbannt.

Isabeau (*erstaunt zurücktretend*).
                      Was? Wie? Du bist verbannt?
Verbannt vom Dauphin!

Johanna.           Frage nicht! Ich bin       3211
In deiner Macht, bestimme mein Geschick.

Isabeau. Verbannt, weil du vom Abgrund ihn gerettet,
Die Krone ihm hast aufgesetzt zu Reims,
Zum König über Frankreich ihn gemacht?
Verbannt! Daran erkenn ich meinen Sohn!
– Führt sie ins Lager. Zeiget der Armee
Das Furchtgespenst, vor dem sie so gezittert!
Sie eine Zauberin! Ihr ganzer Zauber
Ist euer Wahn und euer feiges Herz!       3220
Eine *Närrin* ist sie, die für ihren König
Sich opferte und jetzt den Königslohn
Dafür empfängt – Bringt sie zu Lionel –
Das Glück der Franken send ich ihm gebunden,
Gleich folg ich selbst.

Johanna.          Zu Lionel! Ermorde mich
Gleich hier, eh' du zu Lionel mich sendest.

Isabeau (*zu den Soldaten*).
Gehorchet dem Befehle. Fort mit ihr! (*Geht ab.*)


### SECHSTER AUFTRITT

*Johanna. Soldaten.*

Johanna (*zu den Soldaten*).
Engländer, duldet nicht, daß ich lebendig
Aus eurer Hand entkomme! Rächet euch!
Zieht eure Schwerter, taucht sie mir ins Herz,       3230

Reißt mich entseelt zu eures Feldherrn Füßen!
Denkt, daß *ich's* war, die eure Trefflichsten
Getötet, die kein Mitleid mit euch trug,
Die ganze Ströme engelländ'schen Bluts
Vergossen, euren tapfern Heldensöhnen
Den Tag der frohen Wiederkehr geraubt!
Nehmt eine blut'ge Rache! Tötet mich!
Ihr habt mich jetzt; nicht immer möchtet ihr
So schwach mich sehn –

A n f ü h r e r   d e r   S o l d a t e n.
Tut, was die Königin befahl!

J o h a n n a.                        Sollt' ich                        3240
Noch unglücksel'ger werden, als ich war!
Furchtbare Heil'ge! deine Hand ist schwer!
Hast du mich ganz aus deiner Huld verstoßen?
Kein Gott erscheint, kein Engel zeigt sich mehr,
Die Wunder ruhn, der Himmel ist verschlossen.
*(Sie folgt den Soldaten.)*


*Das französische Lager*


SIEBENTER AUFTRITT

*Dunois zwischen dem Erzbischof und Du Chatel.*

E r z b i s c h o f.  Bezwinget Euern finstern Unmut, Prinz!
Kommt mit uns! Kehrt zurück zu Euerm König!
Verlasset nicht die allgemeine Sache
In diesem Augenblick, da wir, aufs neu
Bedränget, Eures Heldenarms bedürfen.                        3250

D u n o i s.  Warum sind wir bedrängt? Warum erhebt
Der Feind sich wieder? Alles war getan,
Frankreich war siegend und der Krieg geendigt.
Die Retterin habt ihr verbannt, nun rettet
Euch selbst! Ich aber will das Lager
Nicht wiedersehen, wo sie nicht mehr ist.

D u   C h a t e l.
Nehmt bessern Rat an, Prinz. Entlaßt uns nicht
Mit einer solchen Antwort!

Dunois.          Schweigt, Du Chatel!
  Ich hasse Euch, von Euch will ich nichts hören.
  Ihr seid es, der zuerst an ihr gezweifelt.        3260
Erzbischof. Wer ward nicht irr' an ihr und hätte nicht
  Gewankt an diesem unglücksel'gen Tage,
  Da alle Zeichen gegen sie bewiesen!
  Wir waren überrascht, betäubt; der Schlag
  Traf zu erschütternd unser Herz — Wer konnte
  In dieser Schreckensstunde prüfend wägen?
  Jetzt kehrt uns die Besonnenheit zurück;
  Wir sehn sie, wie sie unter uns gewandelt,
  Und keinen Tadel finden wir an ihr.
  Wir sind verwirrt — wir fürchten, schweres Unrecht   3270
  Getan zu haben. — Reue fühlt der König,
  Der Herzog klagt sich an, La Hire ist trostlos,
  Und jedes Herz hüllt sich in Trauer ein.
Dunois. Sie eine Lügnerin! Wenn sich die Wahrheit
  Verkörpern will in sichtbarer Gestalt,
  So muß sie ihre Züge an sich tragen!
  Wenn Unschuld, Treue, Herzensreinigkeit
  Auf Erden irgend wohnt — auf ihren Lippen,
  In ihren klaren Augen muß sie wohnen!
Erzbischof.
  Der Himmel schlage durch ein Wunder sich       3280
  Ins Mittel und erleuchte dies Geheimnis,
  Das unser sterblich Auge nicht durchdringt —
  Doch wie sich's auch entwirren mag und lösen,
  Eins von den beiden haben wir verschuldet:
  Wir haben uns mit höll'schen Zauberwaffen
  Verteidigt, oder eine Heilige verbannt!
  Und beides ruft des Himmels Zorn und Strafen
  Herab auf dieses unglücksel'ge Land!

### ACHTER AUFTRITT

*Ein Edelmann zu den Vorigen, hernach Raimond.*

Edelmann. Ein junger Schäfer fragt nach deiner Hoheit,
  Er fordert dringend, mit dir selbst zu reden,      3290
  Er komme, sagt er, von der Jungfrau —

Dunois.                                    Eile!
  Bring ihn herein! Er kommt von ihr!
*(Edelmann öffnet dem Raimond die Türe, Dunois eilt ihm*
*entgegen.)*
                         Wo ist sie?
  Wo ist die Jungfrau?
Raimond.              Heil Euch, edler Prinz,
  Und Heil mir, daß ich diesen frommen Bischof,
  Den heil'gen Mann, den Schirm der Unterdrückten,
  Den Vater der Verlaßnen, bei Euch finde!
Dunois. Wo ist die Jungfrau?
Erzbischof.               Sag es uns, mein Sohn!
Raimond. Herr, sie ist keine schwarze Zauberin!
  Bei Gott und allen Heiligen bezeug ich's.
  Im Irrtum ist das Volk. Ihr habt die Unschuld            3300
  Verbannt, die Gottgesendete verstoßen!
Dunois. Wo ist sie? Sage!
Raimond.                Ihr Gefährte war ich
  Auf ihrer Flucht in dem Ardenner Wald,
  Mir hat sie dort ihr Innerstes gebeichtet.
  In Martern will ich sterben, meine Seele
  Hab keinen Anteil an dem ew'gen Heil,
  Wenn sie nicht rein ist, Herr, von aller Schuld!
Dunois.
  Die Sonne selbst am Himmel ist nicht reiner!
  Wo ist sie? Sprich!
Raimond.            O wenn Euch Gott das Herz
  Gewendet hat – so eilt! so rettet sie!                   3310
  Sie ist gefangen bei den Engelländern.
Dunois. Gefangen! Was!
Erzbischof.          Die Unglückselige!
Raimond. In den Ardennen, wo wir Obdach suchten,
  Ward sie ergriffen von der Königin
  Und in der Engelländer Hand geliefert.
  O rettet sie, die Euch gerettet hat,
  Von einem grausenvollen Tode!
Dunois. Zu den Waffen! Auf! Schlagt Lärmen! Rührt die
                         Trommeln!
  Führt alle Völker ins Gefecht! Ganz Frankreich
  Bewaffne sich! Die Ehre ist verpfändet,                  3320

Die Krone, das Palladium entwendet,
Setzt alles Blut, setzt euer Leben ein!
Frei muß sie sein, noch eh' der Tag sich endet!
(*Gehen ab.*)

*Ein Wartturm, oben eine Öffnung.*

NEUNTER AUFTRITT

*Johanna und Lionel, zu ihnen Fastolf, dann Isabeau.*

F a s t o l f (*eilig hereintretend*).
Das Volk ist länger nicht zu bändigen.
Sie fordern wütend, daß die Jungfrau sterbe.
Ihr widersteht vergebens. Tötet sie
Und werft ihr Haupt von dieses Turmes Zinnen,
Ihr fließend Blut allein versöhnt das Heer.
I s a b e a u (*kommt*).
Sie setzen Leitern an, sie laufen Sturm!
Befriediget das Volk. Wollt Ihr erwarten,                    3330
Bis sie den ganzen Turm in blinder Wut
Umkehren und wir alle mit verderben?
Ihr könnt sie nicht beschützen, gebt sie hin.
L i o n e l. Laßt sie anstürmen! Laßt sie wütend toben!
Dies Schloß ist fest, und unter seinen Trümmern
Begrab ich mich, eh' mich ihr Wille zwingt.
– Antworte mir, Johanna! Sei die Meine,
Und gegen eine Welt beschütz ich dich.
I s a b e a u. Seid Ihr ein Mann?
L i o n e l.                        Verstoßen haben dich
Die Deinen, aller Pflichten bist du ledig                    3340
Für dein unwürdig Vaterland. Die Feigen,
Die um dich warben, sie verließen dich,
Sie wagten nicht den Kampf um deine Ehre.
Ich aber, gegen *mein* Volk und das *deine*
Behaupt ich dich. – Einst ließest du mich glauben,
Daß dir mein Leben teuer sei! Und damals
Stand ich im Kampf als Feind dir gegenüber –
Jetzt hast du keinen Freund als mich!

Johanna.                              Du bist
  Der Feind mir, der verhaßte, meines Volks.
  Nichts kann gemein sein zwischen dir und mir.     3350
  Nicht lieben kann ich dich, doch wenn dein Herz
  Sich zu mir neigt, so laß ich Segen bringen
  Für unsre Völker. – Führe deine Heere
  Hinweg von meines Vaterlandes Boden,
  Die Schlüssel aller Städte gib heraus,
  Die ihr bezwungen, allen Raub vergüte,
  Gib die Gefangnen ledig, sende Geiseln
  Des heiligen Vertrags – so biet ich dir
  Den Frieden an in meines Königs Namen.
Isabeau. Willst du in Banden uns Gesetze geben?     3360
Johanna. Tu es beizeiten, denn du mußt es doch.
  Frankreich wird nimmer Englands Fesseln tragen.
  Nie, nie wird das geschehen! Eher wird es
  Ein weites Grab für eure Heere sein.
  Gefallen sind euch eure Besten, denkt
  Auf eine sichre Rückkehr; euer Ruhm
  Ist doch verloren, eure Macht ist hin.
Isabeau. Könnt Ihr den Trotz der Rasenden ertragen?


ZEHNTER AUFTRITT

*Die Vorigen. Ein Hauptmann kommt eilig.*

Hauptmann.
  Eilt, Feldherr, eilt, das Heer zur Schlacht zu stellen,
  Die Franken rücken an mit fliegenden Fahnen,     3370
  Von ihren Waffen blitzt das ganze Tal.
Johanna *(begeistert)*.
  Die Franken rücken an! Jetzt, stolzes England,
  Heraus ins Feld, jetzt gilt es, frisch zu fechten!
Fastolf. Unsinnige, bezähme deine Freude!
  Du wirst das Ende dieses Tags nicht sehn.
Johanna. Mein Volk wird siegen, und ich werde sterben,
  Die Tapfern brauchen meines Arms nicht mehr.
Lionel. Ich spotte dieser Weichlinge! Wir haben
  Sie vor uns hergescheucht in zwanzig Schlachten,
  Eh' dieses Heldenmädchen für sie stritt!     3380

Das ganze Volk veracht ich bis auf *eine*,
Und diese haben sie verbannt. – Kommt, Fastolf!
Wir wollen ihnen einen zweiten Tag
Bei Crequi und Poitiers bereiten.
Ihr, Königin, bleibt in diesem Turm, bewacht
Die Jungfrau, bis das Treffen sich entschieden,
Ich laß Euch funfzig Ritter zur Bedeckung.

F a s t o l f. Was? Sollen wir dem Feind entgegengehn
Und diese Wütende im Rücken lassen?

J o h a n n a. Erschreckt dich ein gefesselt Weib?

L i o n e l.                                   Gib mir     3390
Dein Wort, Johanna, dich nicht zu befreien!

J o h a n n a. Mich zu befreien ist mein einz'ger Wunsch.

I s a b e a u. Legt ihr dreifache Fesseln an. Mein Leben
Verbürg ich, daß sie nicht entkommen soll.
*(Sie wird mit schweren Ketten um den Leib und um die
Arme gefesselt.)*

L i o n e l *(zur Johanna).*
Du willst es so! Du zwingst uns! Noch steht's bei dir!
Entsage Frankreich. Trage Englands Fahne,
Und du bist frei, und diese Wütenden,
Die jetzt dein Blut verlangen, dienen dir!

F a s t o l f *(dringend).*
Fort, fort, mein Feldherr!

J o h a n n a.                     Spare deine Worte!
Die Franken rücken an, verteid'ge dich!     3400
*(Trompeten ertönen, Lionel eilt fort.)*

F a s t o l f. Ihr wißt, was Ihr zu tun habt, Königin!
Erklärt das Glück sich gegen uns, seht Ihr,
Daß unsre Völker fliehen –

I s a b e a u *(einen Dolch ziehend).*
                          Sorget nicht!
Sie soll nicht leben, unsern Fall zu sehn.

F a s t o l f *(zur Johanna).*
Du weißt, was dich erwartet. Jetzt erflehe
Glück für die Waffen deines Volks! *(Er geht ab.)*

ELFTER AUFTRITT

*Isabeau. Johanna. Soldaten.*

Johanna.                              Das will ich!
  Daran soll niemand mich verhindern. – Horch!
  Das ist der Kriegsmarsch meines Volks! Wie mutig
  Er in das Herz mir schallt und siegverkündend!
  Verderben über England! Sieg den Franken!          3410
  Auf, meine Tapfern! Auf! Die Jungfrau ist
  Euch nah; sie kann nicht vor euch her wie sonst
  Die Fahne tragen – schwere Bande fesseln sie,
  Doch frei aus ihrem Kerker schwingt die Seele
  Sich auf den Flügeln eures Kriegsgesangs.
Isabeau *(zu einem Soldaten).*
  Steig auf die Warte dort, die nach dem Feld
  Hin sieht, und sag uns, wie die Schlacht sich wendet.
                    *(Soldat steigt hinauf.)*
Johanna.
  Mut, Mut, mein Volk! Es ist der letzte Kampf!
  Den *einen* Sieg noch, und der Feind liegt nieder.
Isabeau. Was siehest du?
Soldat.                        Schon sind sie aneinander.   3420
  Ein Wütender auf einem Barberroß,
  Im Tigerfell, sprengt vor mit den Gendarmen.
Johanna. Das ist Graf Dunois! Frisch, wackrer Streiter!
  Der Sieg ist mit dir!
Soldat.                  Der Burgunder greift
  Die Brücke an.
Isabeau.          Daß zehen Lanzen ihm
  Ins falsche Herz eindrängen, dem Verräter!
Soldat. Lord Fastolf tut ihm mannhaft Widerstand.
  Sie sitzen ab, sie kämpfen Mann für Mann,
  Des Herzogs Leute und die unsrigen.
Isabeau.
  Siehst du den Dauphin nicht? Erkennst du nicht       3430
  Die königlichen Zeichen?
Soldat.                    Alles ist
  In Staub vermengt. Ich kann nichts unterscheiden.
Johanna. Hätt' er *mein* Auge oder stünd' ich oben,
  Das Kleinste nicht entginge meinem Blick!

Das wilde Huhn kann ich im Fluge zählen,
Den Falk' erkenn ich in den höchsten Lüften.
S o l d a t. Am Graben ist ein fürchterlich Gedräng';
Die Größten, scheint's, die Ersten kämpfen dort.
I s a b e a u. Schwebt unsre Fahne noch?
S o l d a t.                                    Hoch flattert sie.
J o h a n n a.
Könnt' ich nur durch der Mauer Ritze schauen,          3440
Mit meinem Blick wollt' ich die Schlacht regieren!
S o l d a t. Weh mir! Was seh ich! Unser Feldherr ist
Umzingelt!
I s a b e a u (*zuckt den Dolch auf Johanna*).
           Stirb, Unglückliche!
S o l d a t (*schnell*).              Er ist befreit.
Im Rücken faßt der tapfere Fastolf
Den Feind – er bricht in seine dichtsten Scharen.
I s a b e a u (*zieht den Dolch zurück*).
Das sprach dein Engel!
S o l d a t.              Sieg! Sieg! Sie entfliehen!
I s a b e a u. Wer flieht?
S o l d a t.              Die Franken, die Burgunder fliehn,
Bedeckt mit Flüchtigen ist das Gefilde.
J o h a n n a.
Gott! Gott! So sehr wirst du mich nicht verlassen!
S o l d a t. Ein schwer Verwundeter wird dort geführt.  3450
Viel Volk sprengt ihm zu Hilf', es ist ein Fürst.
I s a b e a u. Der Unsern einer oder Fränkischen?
S o l d a t. Sie lösen ihm den Helm, Graf Dunois ist's.
J o h a n n a (*greift mit krampfhafter Anstrengung in ihre
Ketten*). Und ich bin nichts als ein gefesselt Weib!
S o l d a t. Sieh! Halt! Wer trägt den himmelblauen Mantel,
Verbrämt mit Gold?
J o h a n n a (*lebhaft*).   Das ist mein Herr, der König!
S o l d a t.
Sein Roß wird scheu – es überschlägt sich – stürzt –
Er windet schwer arbeitend sich hervor –
(*Johanna begleitet diese Worte mit leidenschaftlichen Be-
wegungen.*)
Die Unsern nahen schon in vollem Lauf –
Sie haben ihn erreicht – umringen ihn –          3460

**Johanna.** O hat der Himmel keine Engel mehr!
**Isabeau** *(hohnlachend).*
   Jetzt ist es Zeit! Jetzt, Retterin, errette!
**Johanna** *(stürzt auf die Knie, mit gewaltsam heftiger*
   *Stimme betend).*
   Höre mich, Gott, in meiner höchsten Not!
   Hinauf zu dir, in heißem Flehenswunsch,
   In deine Himmel send ich meine Seele.
   Du kannst die Fäden eines Spinngewebs
   Stark machen wie die Taue eines Schiffs,
   Leicht ist es deiner Allmacht, ehrne Bande
   In dünnes Spinngewebe zu verwandeln –
   Du willst, und diese Ketten fallen ab,                3470
   Und diese Turmwand spaltet sich – du halfst
   Dem Simson, da er blind war und gefesselt
   Und seiner stolzen Feinde bittern Spott
   Erduldete. – Auf dich vertrauend faßt' er
   Die Pfosten seines Kerkers mächtig an
   Und neigte sich und stürzte das Gebäude –
**Soldat.** Triumph! Triumph!
**Isabeau.**              Was ist's?
**Soldat.**                     Der König ist
   Gefangen!
**Johanna** *(springt auf).*
        So sei Gott mir gnädig!
*(Sie hat ihre Ketten mit beiden Händen kraftvoll gefaßt
und zerrissen. In demselben Augenblick stürzt sie sich auf
den nächststehenden Soldaten, entreißt ihm sein Schwert und
eilt hinaus. Alle sehen ihr mit starrem Erstaunen nach.)*


ZWÖLFTER AUFTRITT

*Vorige ohne Johanna.*

**Isabeau** *(nach einer langen Pause).*
   Was war das? Träumte mir? Wo kam sie hin?
   Wie brach sie diese zentnerschweren Bande?                3480
   Nicht glauben würd' ich's einer ganzen Welt,
   Hätt' ich's nicht selbst gesehn mit meinen Augen.

S o l d a t *(auf der Warte).*
  Wie? Hat sie Flügel? Hat der Sturmwind sie
  Hinabgeführt?
I s a b e a u.      Sprich, ist sie unten?
S o l d a t.              Mitten
  Im Kampfe schreitet sie – Ihr Lauf ist schneller
  Als mein Gesicht – Jetzt ist sie hier – jetzt dort –
  Ich sehe sie zugleich an vielen Orten!
  – Sie teilt die Haufen – Alles weicht vor ihr,
  Die Franken stehn, sie stellen sich aufs neu!
  – Weh mir! Was seh ich! Unsre Völker werfen     3490
  Die Waffen von sich, unsre Fahnen sinken –
I s a b e a u.  Was? Will sie uns den sichern Sieg entreißen?
S o l d a t.  Grad auf den König dringt sie an – Sie hat ihn
  Erreicht – Sie reißt ihn mächtig aus dem Kampf.
  – Lord Fastolf stürzt – Der Feldherr ist gefangen.
I s a b e a u.  Ich will nicht weiter hören. Komm herab.
S o l d a t.  Flieht, Königin! Ihr werdet überfallen.
  Gewaffnet Volk dringt an den Turm heran.
  *(Er steigt herunter.)*
I s a b e a u *(das Schwert ziehend).*
  So fechtet, Memmen!


### DREIZEHNTER AUFTRITT

*Vorige. La Hire mit Soldaten. Bei seinem Eintritt streckt das*
*Volk der Königin die Waffen.*

L a H i r e *(naht ihr ehrerbietig).*
              Königin, unterwerft Euch
  Der Allmacht – Eure Ritter haben sich     3500
  Ergeben, aller Widerstand ist unnütz!
  – Nehmt meine Dienste an. Befehlt, wohin
  Ihr wollt begleitet sein.
I s a b e a u.         Jedweder Ort
  Gilt gleich, wo ich dem Dauphin nicht begegne.
  *(Gibt ihr Schwert ab und folgt ihm mit den Soldaten.)*

*Die Szene verwandelt sich in das Schlachtfeld.*


VIERZEHNTER AUFTRITT

*Soldaten mit fliegenden Fahnen erfüllen den Hintergrund.*
*Vor ihnen der König und der Herzog von Burgund; in den*
*Armen beider Fürsten liegt Johanna, tödlich verwundet,*
*ohne Zeichen des Lebens. Sie treten langsam vorwärts. Agnes*
*Sorel stürzt herein.*

S o r e l *(wirft sich an des Königs Brust).*
    Ihr seid befreit – Ihr lebt – Ich hab Euch wieder!
K ö n i g.  Ich bin befreit – Ich bin's um diesen Preis!
    *(Zeigt auf Johanna.)*
S o r e l.  Johanna! Gott! Sie stirbt!
B u r g u n d.                    Sie hat geendet!
    Seht einen Engel scheiden! Seht, wie sie daliegt,
    Schmerzlos und ruhig wie ein schlafend Kind!
    Des Himmels Friede spielt um ihre Züge,                3510
    Kein Atem hebt den Busen mehr, doch Leben
    Ist noch zu spüren in der warmen Hand.
K ö n i g.  Sie ist dahin – Sie wird nicht mehr erwachen,
    Ihr Auge wird das Ird'sche nicht mehr schauen.
    Schon schwebt sie droben, ein verklärter Geist,
    Sieht unsern Schmerz nicht mehr und unsre Reue.
S o r e l.  Sie schlägt die Augen auf, sie lebt!
B u r g u n d *(erstaunt).*                    Kehrt sie
    Uns aus dem Grab zurück? Zwingt sie den Tod?
    Sie richtet sich empor! Sie steht!
J o h a n n a *(steht ganz aufgerichtet und schaut umher).*
                Wo bin ich?
B u r g u n d.  Bei deinem Volk, Johanna! Bei den Deinen!
K ö n i g.  In deiner Freunde, deines Königs Armen!        3521
J o h a n n a *(nachdem sie ihn lange starr angesehen).*
    Nein, ich bin keine Zauberin! Gewiß,
    Ich bin's nicht.
K ö n i g.             Du bist heilig wie die Engel,
    Doch unser Auge war mit Nacht bedeckt.
J o h a n n a *(sieht heiter lächelnd umher).*
    Und ich bin wirklich unter meinem Volk

Und bin nicht mehr verachtet und verstoßen?
Man flucht mir nicht, man sieht mich gütig an?
– Ja, jetzt erkenn ich deutlich alles wieder!
Das ist mein König! Das sind Frankreichs Fahnen!
Doch meine Fahne seh ich nicht – Wo ist sie?     3530
Nicht ohne meine Fahne darf ich kommen:
Von meinem Meister ward sie mir vertraut,
Vor seinem Thron muß ich sie niederlegen –
Ich darf sie zeigen, denn ich trug sie treu.

K ö n i g *(mit abgewandtem Gesicht).*
Gebt ihr die Fahne!

*(Man reicht sie ihr. Sie steht ganz frei aufgerichtet, die Fahne in der Hand – Der Himmel ist von einem rosichten Schein beleuchtet.)*

J o h a n n a. Seht ihr den Regenbogen in der Luft?
Der Himmel öffnet seine goldnen Tore,
Im Chor der Engel steht sie glänzend da,
Sie hält den ew'gen Sohn an ihrer Brust,
Die Arme streckt sie lächelnd mir entgegen.     3540
Wie wird mir – Leichte Wolken heben mich –
Der schwere Panzer wird zum Flügelkleide.
Hinauf – hinauf – Die Erde flieht zurück –
Kurz ist der Schmerz, und ewig ist die Freude!

*(Die Fahne entfällt ihr, sie sinkt tot darauf nieder – Alle stehen lange in sprachloser Rührung – Auf einen leisen Wink des Königs werden alle Fahnen sanft auf sie niedergelassen, daß sie ganz davon bedeckt wird.)*

# ZUR ENTSTEHUNG UND WIRKUNG VON SCHILLERS »DIE JUNGFRAU VON ORLEANS«

Die Arbeiten an dem Drama begann Schiller nach eigener Kalendereintragung am 1. Juli 1800. Die ersten Wochen vergingen mit dem Aufstellen des Schemas; erst am 5. September 1800 schrieb er an Goethe, er habe nun »förmlich beim Anfang angefangen«, und unterm 13. September heißt es dann: »Mit meiner Arbeit geht es noch sehr langsam, doch geschieht kein Rückschritt. Bei der Armut an Anschauungen und Erfahrung nach außen, die ich habe, kostet es mir jederzeit eine eigene Methode und viel Zeitaufwand, den Stoff zu beleben. Dieser Stoff ist keiner von den leichten und liegt mir nicht nahe.«

Schiller hatte sich wahrscheinlich von François Gayot de Pitavals Sammlung *Merkwürdige Rechtsfälle als ein Beitrag zur Geschichte der Menschheit* anregen lassen, deren deutsche Ausgabe er mit einer Vorrede versehen und die ihm auch noch andere bearbeitenswerte Stoffe zugetragen hatte. Unter den verschiedenen Geschichtswerken, die er für seine Quellenstudien weiter heranzog, ist vor allem zu nennen: De l'Averdy: *Les extraits raisonnés de tout ce que les manuscrits de la Bibliothèque du Roi contiennent de relatif au procès de Jeanne d'Arc, connue sous le nom de Pucelle d'Orleans* (Bd. 3 der *Notices et extraits des manuscrits de la Bibliothèque du Roi*, Paris 1790). Dieses Werk steht nach Jahrhunderten der Legendenbildung und des rationalistischen Widerspruchs (dessen berühmtestes Beispiel Voltaires *Pucelle* ist) am Anfang einer historischen Betrachtungsweise der Vorgänge um Jeanne d'Arc. Es stützt sich auf die Prozeßakten und unterscheidet deutlich die Ergebnisse aus dem Ketzerprozeß und dem fünfundzwanzig Jahre späteren Revisionsverfahren, aus dem schließlich das Bild Johannas als einer gottbegeisterten Prophetin hervorging. Und dieses Bild schwebte offenbar auch Schiller vor, als er die spätere Rehabilitation durch freie Erfindung in die Handlung seines

Dramas einbezog. Das Prinzip, nach dem er hierbei vorging, findet sich in dem Brief an Goethe vom 24. Dezember angedeutet: »Das Historische ist überwunden und doch, soviel ich urteilen kann, in seinem möglichsten Umfang benutzt, die Motive sind alle poetisch und größtenteils von der naiven Gattung.«

Am 11. Februar 1801 waren die ersten drei Akte abgeschlossen, am 3. April schrieb Schiller anläßlich seiner Weiterarbeit an Goethe: »Von meinem letzten Akt auguriere ich viel Gutes, er erklärt den ersten, und so beißt sich die Schlange in den Schwanz. Weil meine Heldin darin auf sich allein steht und im Unglück von den Göttern deseriert ist, so zeigt sich ihre Selbständigkeit und ihr Charakteranspruch auf die Prophetenrolle deutlicher.«

Die »romantische Tragödie« erschien gedruckt zuerst im Oktober 1801 bei Johann Friedrich Unger als Taschenkalender auf das Jahr 1802. Die erste Aufführung fand am 11. September 1801 in Leipzig statt, die zweite Wiederholung am 17. September sah Schiller unter den Zuschauern, und man empfing ihn »unter dem Ertönen der Pauken und Trompeten, mit allgemeinem Klatschen, Vivat und Zuruf, nicht allein zum Danke des gegenwärtigen Genusses, sondern weil er auch überhaupt für dieses Jahr an der theatralischen Ergötzung des Publikums den bei weitem größten Beifall hatte«.

Die Wirkung des Stückes erscheint bedeutend und weitreichend. Neben dem spöttischen Widerspruch aus dem Kreis der Romantiker, Schillers stärksten zeitgenössischen Gegnern, und der fraglosen Anerkennung seiner Freunde wie Körner stehen die verständige Zustimmung Wielands oder die Vorliebe Jean Pauls gerade für dieses Stück, folgt schließlich eine starke Ausstrahlung übers gesamte 19. Jahrhundert und nach Frankreich und England.

Schwierigkeiten boten dem Verständnis nicht selten der Untertitel »Eine romantische Tragödie« wie auch der legendäre und wunderbare Gehalt und die formalen Eigentümlichkeiten des Dramas. Ein sehr bezeichnendes frühes Dokument für diese Problematik bieten die *Briefe an ein Frauenzimmer über die wichtigsten Produkte der schönen Literatur* (Berlin 1802). Darin heißt es: »Man hat die Jungfrau von

Orleans bald für Schillers trefflichstes, bald für sein mißlungenstes Werk erklärt. Nach dem Gesichtspunkte, den man wählt, sind beide Urteile gegründet. Als eigentliches Drama steht es unter allen seinen Arbeiten am niedrigsten, oder richtiger gesagt, am wenigsten hoch. Als romantisch-historisches Charakterstück ist es die kühnste, erhabenste Unternehmung, die ein Dichter gewagt hat; sie wäre gelungen, wenn der Dichter nicht ins Märchenhafte gefallen wäre. Als dialogisierte Epopöe, wenn man eine solche für möglich hält, ist es ein Meisterstück, und unter allen Schillerschen Werken scheint es mir die größten Schönheiten des Details zu besitzen, wiewohl mehr lyrische und epische als dramatische.«

Ausgehend von der romantischen Auffassung einer ursprünglichen Poesie der Geschichte, urteilt Ludwig Tieck: »Daß die Geschichte dieses heldenmütigen Mädchens großartiger, in der Wahrheit selbst wunderbarer und tragischer, also auch viel poetischer sei, als Schiller uns diesen Charakter und die Begebenheit umgearbeitet hat, ist schon von vielen behauptet und bewiesen worden. Das Wunder ihrer Erscheinung, dessen, was sie wirklich tat, um ihr Volk zu befreien, ist schon so groß und unerklärlich genug, so daß Imagination und Vernunft schon viel zu verarbeiten finden und der Dichter auch ohne weiteres einen schweren Stand hat, uns nur das glaublich zu machen, wovon ein ganzes Zeitalter Augenzeuge war. Ist es ihm aber wohl erlaubt, noch eigentliche Mirakel, von denen die Geschichte wie die Legende seiner Heldin nichts erwähnt, zu erdichten? Ihr eine magische Gewalt im Blick, ein Allwissen zuzuschreiben? Darf er, ohne irgend psychologisch, oder poetisch, oder wie es sei, diese Mirakel zu erklären, uns anmuten, sie zu glauben, oder sie für Gegenstände zu erkennen, die der theatralischen Darstellung fähig sind?«

Von ähnlichem Standpunkt äußert sich A. W. Schlegel in seinen Vorlesungen, aber auch ohne jene vorgegebene Urteilsgrundlage beweist Tieck noch einmal kritischen Scharfblick, wenn er in den Unterhaltungen mit Rudolf Köpke äußert: »Die großen Monologe in der *Jungfrau von Orleans* werden ihm ebenso zu isolierten Deklamations- ja man kann sagen Musik- und Konzertstücken. Gerade hierin hat Schiller viele Nachahmer gefunden, die sein rhetorisierendes Pathos aufgriffen, ohne seinen Genius zu haben, und am Ende nur seine Fehler nachzuahmen vermochten.«

Unter den Späteren war es dann vor allem Friedrich Hebbel, auf den Schillers *Jungfrau von Orleans* außerordentliche Anziehungskraft ausübte und dessen Jugenddramen *Judith* und *Genoveva* sie entsprechend beeinflußte. Allerdings schwanken Hebbels Stellungnahmen zwischen Urteilen wie: »Die Schillersche [Jungfrau von Orleans] gehört ins Wachsfiguren-Kabinett; der bedeutendste Stoff der Geschichte ist auf eine unerträgliche Weise verpfuscht. In der Geschichte lebt, leidet und stirbt sie schön; in Schillers Trauerspiel! – spricht sie schön« und »Schiller ist ein großer Dichter, und die Jungfrau von Orleans ist ein großes Gedicht«. Unter zahlreichen ähnlichen Äußerungen zeigt vor allem eine Eintragung in die Tagebücher (6. 3. 1838), wie sehr sich seine Auffassung von Gott, Individuum und Weltenplan an dem tragischen Stoff der *Jungfrau von Orleans* orientiert hat: »Die Gottheit selber, wenn sie zur Erreichung großer Zwecke auf ein Individuum unmittelbar einwirkt und sich dadurch einen willkürlichen Eingriff ins Weltgetriebe erlaubt, kann ihr Werkzeug vor der Zermalmung durch dasselbe Rad, das es einen Augenblick aufhielt oder anders lenkte, nicht schützen. Dies ist wohl das vornehmste tragische Motiv, das in der Geschichte der Jungfrau von Orleans liegt. Eine Tragödie, welche diese Idee abspiegelte, würde einen großen Eindruck hervorbringen durch den Blick auf die ewige Ordnung der Natur, die die Gottheit selbst nicht stören darf, ohne es büßen zu müssen.«

B.